中华人民共和国国家标准

煤矿井下机车车辆运输信号设计规范

Code for design of underground locomotive vehicle transport signal of coal mine

GB 50388-2016

主编部门：中 国 煤 炭 建 设 协 会
批准部门：中华人民共和国住房和城乡建设部
施行日期：2 0 1 7 年 4 月 1 日

中国计划出版社

2016 北 京

中华人民共和国国家标准
煤矿井下机车车辆运输信号设计规范
GB 50388-2016
☆
中国计划出版社出版发行
网址：www.jhpress.com
地址：北京市西城区木樨地北里甲11号国宏大厦C座3层
邮政编码：100038　电话：(010) 63906433（发行部）
三河富华印刷包装有限公司印刷

850mm×1168mm　1/32　3.625印张　89千字　1插页
2017年3月第1版　2017年3月第1次印刷
☆
统一书号：155182 • 0043
定价：23.00元

版权所有　侵权必究
侵权举报电话：(010) 63906404
如有印装质量问题，请寄本社出版部调换

中华人民共和国住房和城乡建设部公告

第 1257 号

住房城乡建设部关于发布国家标准 《煤矿井下机车车辆运输信号设计规范》的公告

现批准《煤矿井下机车车辆运输信号设计规范》为国家标准，编号为 GB 50388—2016，自 2017 年 4 月 1 日起实施。其中，第 3.0.5、5.3.10、6.0.3(1)、7.0.4、10.0.6 条为强制性条文，必须严格执行。原国家标准《煤矿井下机车运输信号设计规范》GB 50388—2006 同时废止。

本规范由我部标准定额研究所组织中国计划出版社出版发行。

中华人民共和国住房和城乡建设部
2016 年 8 月 18 日

前　　言

根据住房城乡建设部《关于印发 2013 年工程建设标准规范制订修订计划的通知》(建标〔2013〕6 号)的要求,本规范由中国煤炭建设协会勘察设计委员会和合肥工大高科信息科技股份有限公司会同有关单位,在对原国家标准《煤矿井下机车运输信号设计规范》GB 50388—2006 进行修订的基础上编制完成。

本规范在修订过程中,修订组经广泛调查研究,认真分析、总结和吸取了近年来国内外煤矿井下运输信号系统发展的新技术、新工艺、新的科研成果以及实践经验,并注意了与相关标准的衔接。经广泛征求意见,反复修改,最后审查定稿。

本规范共分 12 章和 3 个附录,主要内容包括:总则,术语,基本规定,运输信号系统分类与设计原则,区段、进路与联锁设计,信号机,道岔与转辙装置,车位传感器与无线收发信装置,联锁设备与测控分站,显示装置与控制台,电源与线缆,调度中心站等。

本次修订的主要技术内容是:增加无轨胶轮车运输信号设计的内容,将单轨吊车运输信号设计纳入本规范。增加区段设计、联锁设计的基本规定。增加对联锁设备与测控分站的规定。增加运输信号平面布置图与联锁关系表的设计内容。对原国家标准《煤矿井下机车运输信号设计规范》GB 50388—2006 中的主要技术内容进行了补充、完善和必要的修改。

本规范中以黑体字标志的条文为强制性条文,必须严格执行。

本规范由住房城乡建设部负责管理和对强制性条文的解释,中国煤炭建设协会负责日常管理工作,合肥工大高科信息科技股份有限公司负责具体技术内容的解释。执行过程中如有意见或建议,请寄送合肥工大高科信息科技股份有限公司(地址:合肥市高新区习友路1682号;邮政编码:230088),以便今后修订时参考。

本规范主编单位、参编单位、主要起草人和主要审查人：

主 编 单 位：中国煤炭建设协会勘察设计委员会

　　　　　　合肥工大高科信息科技股份有限公司

参 编 单 位：中煤科工集团北京华宇工程有限公司

　　　　　　北京圆之翰工程技术有限公司

　　　　　　煤炭工业合肥设计研究院

　　　　　　中煤科工集团南京设计研究院有限公司

　　　　　　中煤科工集团常州研究院有限公司

　　　　　　中煤科工集团沈阳设计研究院有限公司

主要起草人：魏　臻　陆　阳　沈　涓　曹雪松　刘延杰

　　　　　　许　中　程运安　胡腾蛟　宋徽宁　胡庆新

　　　　　　徐自军　吴兴岗　李　谦　鲍红杰

主要审查人：曾　涛　刘建华　何增利　贾祥芝　向运平

　　　　　　方崇全　周孟颖　郭成慧

目　次

1 总　则 …………………………………………………（1）
2 术　语 …………………………………………………（2）
3 基本规定 ………………………………………………（7）
4 运输信号系统分类与设计原则 ………………………（8）
　4.1 运输信号系统分类 …………………………………（8）
　4.2 设计原则 ……………………………………………（8）
5 区段、进路与联锁设计 ………………………………（12）
　5.1 区段设计 ……………………………………………（12）
　5.2 进路设计 ……………………………………………（13）
　5.3 联锁设计 ……………………………………………（14）
6 信号机 …………………………………………………（19）
7 道岔与转辙装置 ………………………………………（21）
8 车位传感器与无线收发信装置 ………………………（23）
9 联锁设备与测控分站 …………………………………（26）
10 显示装置与控制台 ……………………………………（28）
11 电源与线缆 ……………………………………………（30）
12 调度中心站 ……………………………………………（32）
附录 A 运输信号平面布置图与联锁关系表 …………（33）
附录 B 设备图形符号 …………………………………（70）
附录 C 运输信号设计常用字符代号 …………………（75）
本规范用词说明 …………………………………………（79）
附：条文说明 ……………………………………………（81）

· 1 ·

Contents

1 General provisions ...... (1)
2 Terms ...... (2)
3 Basic requirements ...... (7)
4 Classification and design principles of transport signal system ...... (8)
    4.1 Transport signal system classification ...... (8)
    4.2 Design principles ...... (8)
5 Design of district, route and interlocking ...... (12)
    5.1 Design of district ...... (12)
    5.2 Design of route ...... (13)
    5.3 Design of interlocking ...... (14)
6 Signal ...... (19)
7 Turnout and switch device ...... (21)
8 Position sensor and radio receiving/transmitting device ...... (23)
9 Interlocking device and monitoring and controlling substation ...... (26)
10 Display unit and control console ...... (28)
11 Power supply and cable ...... (30)
12 Dispatch center station ...... (32)
Appendix A Plane layout diagrams of transport signal and interlocking relation tabulations ...... (33)
Appendix B Graphic symbols of devices ...... (70)
Appendix C Common character symbols of transport

signal design ……………………………… (75)
Explanation of wording in this code ……………………… (79)
Addition:Explanation of provisions ……………………… (81)

1 总 则

1.2.1 为在煤矿井下机车车辆运输信号设计中贯彻国家的法律法规，做到安全可靠、经济合理、技术先进、维护管理方便，制定本规范。

1.2.2 本规范适用于新建、改建、扩建煤矿井下自身具备动力的轨道机车、单轨吊牵引车（以下简称"单轨吊车"）和无轨胶轮车等运输信号系统的设计。

1.2.3 煤矿井下机车车辆运输信号设计除应符合本规范的规定外，尚应符合国家现行有关标准的规定。

2 术　　语

2.0.1 机车车辆　locomotive vehicle
煤矿井下运输中,自身具备动力的轨道机车、单轨吊车、无轨胶轮车及所牵引的矿车、人车、材料车等组成的各类车组的总称。

2.0.2 运输信号　transport signal
煤矿井下运输中指示机车车辆运行及作业、有关行车人员必须严格执行的命令。简称信号。

2.0.3 运输信号系统　transport signal system
由信号机、转辙装置、车位传感器、联锁运算装置、显示和操作设备、传输设备、电源设备、线缆及其相关软件等构成的,用于提示、指挥机车车辆按照一定的规则安全运行的系统。

2.0.4 运输信号监控系统　monitoring and control system of transport signal
系统采用先进技术与设备对煤矿井下机车车辆运输线路的全部、大部或井底车场进行监测与控制。系统设调度员,取消扳道员,具有行车调度功能,联锁闭塞关系完善,设备操作自动化程度高。简称监控系统。

2.0.5 运输信号局部控制系统　local control system of transport signal
系统对局部线路、分岔点、交叉路口或采区车场进行控制,信号与道岔之间、信号与信号之间有基本联锁关系。简称局控系统。

2.0.6 运输信号简易控制系统　simple control system of transport signal
系统中信号机由人工通过简易控制台操作控制,道岔用人工就地控制或从简易控制台操作控制,没有联锁功能。简称简控系统。

2.0.7 运输线路　transport line
机车车辆运行及作业所经过的路径。在轨道运输系统中指轨道线路，在无轨胶轮车运输系统中指运输巷道。简称线路。

2.0.8 混合运输　mixed transport
轨道机车、单轨吊车和无轨胶轮车等不同种类的机车车辆，在运输线路中存在两者或三者共用区段的运输方式。

2.0.9 区段　district
进路上预定的、用于划分机车车辆占用位置的若干小段。

2.0.10 区间　section
指车场及分岔点、交叉路口之间的线路。

2.0.11 错车区　avoidance place
用于无轨胶轮车安全错车、调头、避让的指定区域，包括错车场、错车硐室、避让硐室、调头硐室、十字路口或丁字路口等空间较大的区域。

2.0.12 错车区段与行车区段　avoidance district and passing district
线路上用于错车作业的区段称为错车区段；用于行车作业的区段称为行车区段。

2.0.13 进路　route
机车车辆由预定的一点运行到另一点所经过的全部行程的路径，由若干区段组成，包括基本进路和长进路。基本进路不能再进行划分，长进路是由两条及以上基本进路组成的连续路径。基本进路简称进路。

2.0.14 敌对进路　conflicting route
根据运输线路和信号设备配置能够同时建立，但信号开放后会危及行车安全的任何两条或多条进路，或根据设计需要不允许同时建立的两条或者多条进路。

2.0.15 敌对信号　conflicting signal

防护敌对进路的信号。

2.0.16 信号常闭模式　　mode of closing signal normally

当进路中无车且进路未经办理时,进路防护信号的常态为关闭信号。简称常闭模式。

2.0.17 信号常开模式　　mode of clearing signal normally

当进路中无车时,进路防护信号的常态为开放信号。简称常开模式。常开模式不需进路办理。

2.0.18 信号循环模式　　mode of signal alternation

当进路中无车时,进路防护信号的常态按照预先设定的顺序和时间间隔,在开放信号、关闭信号之间循环切换。简称循环模式。循环模式不需人工进路办理。

2.0.19 联锁　　interlocking

通过技术方法使车位、道岔、区段、进路和信号等按照一定程序,并且满足一定条件才能动作或建立起来的联系关系。

2.0.20 联锁关系表　　interlocking relation tabulation

表明运输信号系统中联锁关系的表格。

2.0.21 锁闭　　locking

为实现联锁关系而将设备或装置限制于一定状态的技术措施。

2.0.22 进路办理　　route handling

为了生成进路及联锁命令,由操作员进行的人工操作或经联锁程序的运算自动发出的指令。

2.0.23 进路锁闭　　route locking

使敌对进路信号不能开放的锁闭。对于轨道运输信号系统还包括将道岔和有关防护道岔限制于规定位置。

2.0.24 进路解锁　　route release

解除进路锁闭。

2.0.25 进路一次解锁　　route release at once

同一时间解除整个进路的锁闭。

2.0.26 进路分段解锁　sectional release of a locked route

当机车车辆逐次通过进路上预定部分的区段后,逐段解除该部分进路的锁闭。

2.0.27 闭塞　block

用运输信号保证机车车辆按空间间隔运行的技术方法。

2.0.28 显示距离　range of a signal

从机车车辆上以目力能够连续清楚地辨认信号显示的直线距离。

2.0.29 信号机前方　in advance of a signal

信号机显示信号的方向,也可称为信号机外方。

2.0.30 信号机后方　in rear of a signal

信号机不显示信号的一面,防护着线路上机车车辆的方向。也可称为信号机内方。

2.0.31 冒进信号　overrunning stop signal

信号关闭时,机车车辆误进入信号机后方的情况。

2.0.32 主体信号机　main signal

直接防护进路,具有保证进路行车安全作用的信号机。简称信号机。

2.0.33 预告信号机　approaching signal

因受地形、地物、作业方式等影响,用于预先告知主体信号机信号显示状态的信号机。

2.0.34 车位传感器　position sensor for locomotive vehicle

用于检测机车车辆位置的传感装置,包括计轴器、辅助导线发送器、轨道电路等。机车车辆位置简称车位。

2.0.35 无线收发信装置　radio receiving/transmitting device

采用无线传输方式接收和发送机车车辆相关信息的设备,包括RFID读卡器、识别卡、收信机、发信机等。只具有单方向信息传输功能的设备可称为无线收信装置或无线发信装置。

2.0.36 电控道岔　electrically controllable switch

采用电子电路控制接口,能实现远端控制的道岔。包括电动转辙装置控制的电动道岔、带有电子控制器的气动道岔和液动道岔等。

2.0.37 单操道岔　operate switch manually

通过控制台人工操作,对某一台电控道岔进行单独控制。

2.0.38 联锁控制道岔　operate switch by interlocking

由联锁设备依据联锁运算情况,自动对某一台电控道岔进行控制。

2.0.39 道岔四开　splitting of point

因夹石、道岔不密贴等原因,道岔在规定的转换时间后既不在定位,也不在反位的情况。

2.0.40 测控分站　monitoring and controlling substation

运输信号系统中用于运输线路现场,对各类测控信号设备进行监测与控制,并能通过现场总线、以太网、无线等传输接口与地面调度中心站实现远程数据交互的设备。

3 基本规定

3.0.1 煤矿井下机车车辆运输信号设计应保证行车安全,提高运输效率,改善劳动条件。

3.0.2 煤矿井下机车车辆运输信号设计应根据井下运输方式、运输系统、运输管理、环境条件和技术经济比较等因素,合理采用不同类型、不同层次的运输信号系统、技术和装备。

3.0.3 煤矿井下机车车辆运输信号系统改建、扩建工程,应合理利用原有的信号设备、器材和硐室。

3.0.4 煤矿井下机车车辆运输信号设计时,应与运输大巷、采区装载点、翻车机、推车机、卸载坑、井底煤仓、人员乘车场、井下调度通信及井筒信号等有关环节合理衔接。

3.0.5 煤矿井下机车车辆运输信号系统和电路设计应满足故障导向安全的要求,不得危及行车安全。

3.0.6 煤矿井下同一水平、车场或线路采用轨道机车、单轨吊车或无轨胶轮车等多种类型机车车辆混合运输时,运输信号设计应兼顾不同机车车辆运输的需要和特点,保证混合运输的安全。

3.0.7 纳入安全标志管理的煤矿井下机车车辆运输信号系统、设备和线缆必须获得煤矿矿用产品安全标志"MA"认证。

4 运输信号系统分类与设计原则

4.1 运输信号系统分类

4.1.1 煤矿井下机车车辆运输信号系统根据所采用运输方式的特点,可分为以下几种类型:

    1 轨道运输信号系统,包括轨道机车运输信号系统和单轨吊车运输信号系统等。

    2 无轨胶轮车运输信号系统。

    3 混合运输信号系统。

    4 其他类型运输信号系统。

4.1.2 煤矿井下机车车辆运输信号系统按运输信号的控制功能、控制范围和控制方式的不同,可分为监控系统、局控系统和简控系统等。

4.2 设计原则

4.2.1 符合下列条件之一的矿井,应采用监控系统:

    1 大巷运输全部采用轨道机车运煤,设计生产能力在0.45Mt/a及以上的大中型矿井。

    2 大巷运输全部采用无轨胶轮车运送人员,设计生产能力在0.45Mt/a及以上的大中型矿井。

    3 同一水平连续运行范围内轨道机车工作台数为3台及以上的矿井。

    4 同一水平连续运行范围内单轨吊车工作台数为3台及以上的矿井。

    5 同一水平连续运行范围内无轨胶轮车工作台数为5台及以上的矿井。

6 同一水平连续运行范围内存在混合运输且轨道机车、单轨吊车、无轨胶轮车工作总台数为 3 台及以上的矿井。

4.2.2 符合下列条件之一的矿井，宜采用局控系统：

　　1 大巷运输全部采用轨道机车运煤，设计生产能力小于 0.45Mt/a 的矿井。

　　2 同一水平连续运行范围内轨道机车工作台数为 2 台的矿井。

　　3 同一水平连续运行范围内单轨吊车工作台数为 2 台的矿井。

　　4 同一水平连续运行范围内无轨胶轮车工作台数为 3 台、4 台的矿井。

　　5 同一水平连续运行范围内无轨胶轮车工作台数为 2 台，同一巷道有对向运行的车辆，且巷道宽度不满足错车需求的矿井。

　　6 同一水平连续运行范围内存在混合运输且轨道机车、单轨吊车、无轨胶轮车工作总台数为 2 台的矿井。

4.2.3 符合下列条件的线路或车场可不列入监控系统和局控系统范围，可采用简控系统或无线司控道岔等其他简易信号装置：

　　1 采区车场或线路分岔点平均每小时通过的机车车辆在 2 组及以下。

　　2 轨道运输线路复线或无轨胶轮车双车道区间平均每小时单方向通过的机车车辆在 2 组及以下。

　　3 轨道运输线路单线或无轨胶轮车单车道区间平均每小时双方向通过的机车车辆总数在 2 组及以下。

4.2.4 轨道运输信号系统设计应具备下列资料：

　　1 新建、改建和扩建矿井设计资料应包括下列内容：

　　　　1）矿井设计生产能力，设计水平的服务年限，生产工作制度，各采区产量、生产周期，各井底车场、轨道运输大巷及采掘工作面的煤、人员、材料、设备、矸石的运量、运距等；

　　　　2）矿井瓦斯等级；

3）轨距，钢轨和道岔的型号和规格，各种机车车辆的型号、规格、组成和牵引方式，达到设计产量时的轨道机车和单轨吊车工作台数、检修台数和备用台数，最大运输距离；

4）机车车辆进入井底车场的平均作业时间、运行图表；

5）井下轨道运输系统图，轨道运输巷道平面图、断面图，井底车场平面图、断面图，运行方式等。

2 改建、扩建矿井设计资料还宜包括下列内容：

1）现有运输信号系统说明、运输信号平面布置图、联锁关系表、调度中心站设备布置图、系统图、电缆敷设图、接线图、安装图、设备明细表等；

2）现有行车组织的详细情况等。

4.2.5 无轨胶轮车运输信号系统设计应具备下列资料：

1 新建、改建和扩建矿井设计资料应包括下列内容：

1）矿井设计生产能力，设计水平的服务年限，生产工作制度，各采区产量、生产周期，各井底车场、辅助运输大巷及采掘工作面的人员、材料、设备、矸石的运量、运距等；

2）矿井瓦斯等级；

3）无轨胶轮车型号、规格和最大运行速度，是否允许双向运行，达到设计产量时各种车辆的工作台数、检修台数和备用台数，最大运输距离等；

4）无轨胶轮车运输巷道的平面图、剖面图、断面图，错车场平面图、断面图，运行方式等。

2 改建、扩建矿井设计资料还宜包括下列内容：

1）现有运输信号系统说明、运输信号平面布置图、联锁关系表、调度中心站设备布置图、系统图、电缆敷设图、接线图、安装图、设备明细表等；

2）现有行车组织的详细情况等。

4.2.6 运输信号系统设计应制定配套的信号显示规则。信号显示规则应对信号机的显示灯位、图形、颜色、状态及其含义进行明确规定。

4.2.7 运输信号系统设计应制定配套的行车管理规则。行车管理规则应对行车相关原则进行明确规定。

4.2.8 运输信号系统设计应制定配套的操作人员规则。操作人员规则应对操作人员权限和操作流程等相关原则进行明确规定，防止人员误操作造成的安全隐患。

4.2.9 运输信号系统的信号机、车位传感器、道岔与转辙装置等设备，应配备不少于10%的备用量。

4.2.10 运输信号监控系统设备选型和数量应满足在最大控制范围条件下对测控分站最大容量、测控信号点最大容量、最大传输距离等的要求，并应预留不少于20%的扩容余量。

5 区段、进路与联锁设计

5.1 区段设计

5.1.1 区段划分应满足机车车辆正常运行时的行车安全、最大车流密度、平行作业等要求。

5.1.2 在轨道运输中可分为无岔区段和道岔区段，在无轨胶轮车运输中可分为行车区段和错车区段。

5.1.3 区段设置应符合下列规定：

 1 运输信号系统的控制范围入口处、车场入口处宜设置询问区段，需要时可设置多个询问区段。

 2 运输信号系统的控制范围出口处、车场出口处宜设置离去区段，需要时可设置多个离去区段。

 3 每个区间应设置不少于1个区段。

 4 车场的装卸载线、人车线、存车线等出入口处应设置区段。

 5 弯道或不便观察的线路宜单独划分区段。

 6 除道岔区段外，其他类型的区段长度应满足运行车组的最大长度及间隔距离的要求。

5.1.4 轨道运输信号系统的区段设置应符合下列规定：

 1 轨道运输线路的分岔点处应设置道岔区段，每个道岔区段不宜超过3组电控道岔，渡线道岔两侧应分别设置道岔区段。

 2 道岔区段的长度应满足调车作业、平行作业、进路分段解锁等要求。

 3 调车线应设置区段，区段长度应满足调车作业的要求。

5.1.5 无轨胶轮车运输信号系统的区段设置应符合下列规定：

 1 错车区应设置错车区段，其他路径可设置为行车区段。

 2 双车道区间中的每一个车道应分别设置行车区段。

3 同一巷道有对向运行的车辆,且巷道宽度不满足错车要求的情况下,应根据通过能力的需要,间隔一定距离设置错车区段。
　　4 错车区段的长度和宽度应满足错车、调头、避让、转弯等作业的要求。
　　5 错车区段不应设在有坡度的路面上。
5.1.6 区段的占用状态和空闲状态应根据车位传感器信息及联锁条件等进行判断。机车车辆通过时,应确认区段内的机车车辆全部出清该区段,才能判断该区段为空闲状态。
5.1.7 区段应能通过控制台的操作实现人工封锁与人工解封,人工解封时必须确认该区段的机车车辆已出清,并应确保相关进路的行车安全。

5.2 进路设计

5.2.1 进路划分应满足车场与线路的通过能力达到平均运量的1.7倍~2.0倍,并应满足运行图表中所列各种作业方式及时间要求。
5.2.2 进路的起点应设置信号机。无轨胶轮车运输信号系统中,也可在信号机前方适当位置设置停车线,作为进路的起点。
5.2.3 进路最短距离应符合下列规定,在满足下列规定的基础上,宜再增加不小于10m的安全距离:
　　1 应大于运输作业中车组的最大长度。
　　2 应大于机车车辆的最大制动距离。
　　3 应满足调车作业的需要。
5.2.4 敌对进路应符合下列规定:
　　1 轨道运输信号系统中,下列进路应互为敌对进路:
　　　　1)使用同一区段的不同进路;
　　　　2)使用同一组道岔的不同进路;
　　　　3)同一架信号机所防护的不同进路及设计规定不允许同时建立的不同进路。

2 无轨胶轮车运输信号系统中,下列进路应互为敌对进路:
　　1) 使用同一行车区段的不同进路;
　　2) 使用同一错车区段,有交叉作业或不能满足安全错车、调车的不同进路;
　　3) 同一架信号机的同一灯位信号所防护的不同进路及设计规定不允许同时建立的不同进路。

5.2.5 监控、局控系统应具有人工办理进路的功能,也可根据运输需要具有通过车位传感器或无线收发信装置自动办理进路的功能。

5.2.6 进路锁闭与解锁应符合下列规定:
　　1 存在敌对进路时,进路应具备锁闭和解锁功能。
　　2 基本进路应一次锁闭,长进路可一次锁闭或按基本进路逐条锁闭。
　　3 进路中存在多个区段时,进路解锁可采用一次解锁或分段解锁。
　　4 长进路应按基本进路逐条解锁。
　　5 在满足下列条件之一,并保证安全的前提下,可一次解锁全部进路:
　　　　1) 机车车辆全部进入进路中的最后一个区段;
　　　　2) 机车车辆出清进路中所有区段。
　　6 在进路中机车车辆出清部分区段之后,可分段解锁该部分进路。
　　7 进路应具备人工解锁功能。当机车车辆尚未驶入信号机或停车线前方区段时,可进行人工进路解锁;当机车车辆已驶入信号机或停车线前方区段时,应在与司机联系并确保安全后再进行人工进路解锁。
　　8 人工进路解锁之前应先关闭信号。

5.3 联锁设计

5.3.1 运输信号监控系统、局控系统应具备联锁功能。

5.3.2 运输信号系统设计时,应根据机车车辆的运行图表、运行方式、行车组织情况、巷道及运输线路平面图等绘制运输信号平面布置图,编制联锁关系表。运输信号平面布置图与联锁关系表的设计,应符合本规范附录 A、附录 B 和附录 C 的规定。

5.3.3 运输信号平面布置图和联锁关系表中的信号设备及区段、进路等应按规律进行唯一性编号。

5.3.4 应由运输信号平面布置图和联锁关系表的设计内容共同确定车位、道岔、信号机、区段及进路之间的联锁关系。

5.3.5 机车车辆应按联锁关系表规定的线路运行。无轨胶轮车运输信号系统中,当大型车辆与小型车辆存在不同运行线路或不同联锁条件时,应分别编制进路、信号显示和联锁内容。

5.3.6 信号显示应符合下列规定:

1 轨道运输信号系统中,无敌对进路且进路上无道岔的信号可采用常闭模式或常开模式,其他进路的信号均应采用常闭模式。

2 无轨胶轮车运输信号系统的信号显示应符合下列规定:

 1) 无敌对进路且进路上无交叉路口的信号宜采用常开模式;

 2) 双向双车道交叉路口的信号宜采用常闭模式或循环模式;

 3) 同向信号在敌对信号全部锁定在关闭状态后,可采用常开模式;

 4) 大型车辆运行时,进路及其敌对进路的信号应采用常闭模式;

 5) 在保证行车安全的前提下,其他情况的信号显示可根据实际运输需要选择常闭模式、循环模式或常开模式。

5.3.7 信号开放应符合下列规定:

1 轨道运输信号系统中,信号开放应符合下列规定:

 1) 常闭模式下,应先满足敌对进路未建立、进路中所有区段空闲（存车线除外）、道岔位置正确等联锁条件的要求，之后应锁闭敌对进路及本进路中所有电控道岔，再开放信号；

  2）常开模式下，应先满足进路中所有区段空闲，再开放信号。

 2 无轨胶轮车运输信号系统中，信号开放应符合下列规定：

  1）常闭模式和循环模式下，信号开放前，应先满足敌对进路未建立、进路中所有行车区段内对向车辆出清、行车区段内同向车辆数和错车区段内车辆总数未达到设计允许的组数等联锁条件的要求，之后应锁闭敌对进路，再开放信号；

  2）常开模式下，信号开放前，应先满足进路未被敌对进路锁闭、进路中所有行车区段内对向车辆出清、行车区段内同向车辆数和错车区段内车辆总数未达到设计允许的组数等联锁条件的要求，再开放信号。

 3 在保证行车安全和通过能力的前提下，长进路可分段开放信号。

 4 常闭模式下，信号关闭后，不经进路办理，不得再次开放。

5.3.8 信号关闭应符合下列规定：

 1 轨道运输信号系统中，有1组机车车辆进入信号机后方时（存车线除外），信号应及时关闭。

 2 无轨胶轮车运输信号系统中，信号关闭应符合下列规定：

  1）进路中进入信号机或停车线后方的行车区段内同向车辆数和错车区段内车辆总数达到或超过设计允许的组数时，信号应及时关闭；

  2）信号开放后，达到设计规定的开放时间限制时，信号应及时关闭；

  3）常开模式下，机车车辆进入信号机或停车线后方之前，应先关闭敌对进路信号，再锁闭敌对进路。

 3 推送进路应在整个车组进入信号机或停车线后方之后，再关闭信号，但不得造成追尾事故。

 4 出现冒进信号时，该信号的敌对信号应全部及时关闭。

 5 当信号机、道岔、车位传感器等设备发生电路、传输故障时，有关信号应自动转为关闭信号或故障报警信号。

5.3.9 信号显示模式相互转换时应符合下列规定：

 1 不同信号显示模式相互转换时，应先满足所有相关信号关闭、区段出清、进路解锁等条件，并应间隔不小于5s的安全时间，再转换为另一种信号显示模式。

 2 循环模式不同信号机的开放信号相互转换时，应先满足所有相关信号关闭、区段出清、进路解锁等条件，并应间隔不小于1s的安全时间，再转换为另一信号机的开放信号。同一信号机不同灯位的开放信号相互转换时，在满足相关进路联锁要求的前提下，可直接转换。

5.3.10 轨道运输信号系统中，敌对进路严禁同时建立，敌对信号严禁同时开放。无轨胶轮车运输信号系统中，常闭模式和循环模式下，敌对进路严禁同时建立，敌对信号严禁同时开放。

5.3.11 轨道运输信号系统中的单线、复线区间应具有区间闭塞功能。无轨胶轮车运输信号系统中，同一巷道有对向运行车辆且巷道宽度不满足错车需求的区间，应具有区间闭塞或其他联锁功能。

5.3.12 无轨胶轮车运输信号系统中，当错车区段的宽度和长度不能满足车辆调头、避让等作业的需要时，在保证区间行车安全的前提下，可采用占用相邻区段进行调头、避让等作业方式。

5.3.13 运输信号系统应采用高速传输系统结构、进路提前办理、信号常闭模式等技术与方式，保证不会因信号检测、联锁运算、信息传输、信号控制、信号显示等过程的响应时间延迟而造成敌对信号同时开放，并应满足通过能力的要求。

6 信 号 机

6.0.1 运输线路在下列地点应设置信号机：
  1 运输信号系统控制范围出入口处。
  2 车场出入口处。
  3 装车线、卸载线、人车线、调车线、存车线的出入口处。
  4 线路主要分岔点、交叉路口等处。
  5 其他需要防护的地点。

6.0.2 信号机应采用色灯信号机，并应符合下列规定：
  1 主体信号机宜采用红、绿双色显示，或红、黄、绿三色显示，预告信号机宜采用黄、绿双色显示。
  2 不得使用白灯。
  3 同一矿井信号显示的意义应一致。

6.0.3 信号机灯光显示意义必须符合下列规定：
  1 红色灯光必须用于表示关闭信号；当信号机出现不正常显示或灯光熄灭时，应为关闭信号。关闭信号时，严禁机车车辆进入该信号机或停车线后方；严禁用红色闪光或其他红色动态发光的形式作为开放信号。
  2 绿色灯光应用于表示正常开放信号，黄色灯光可用于表示谨慎开放信号。正常开放信号时，机车车辆可以正常速度运行进入信号机或停车线后方；谨慎开放信号时，机车车辆应减速谨慎运行进入信号机或停车线后方。可采用绿色闪光、黄色闪光或其他动态发光的形式区分不同进路。
  3 黄色灯光可用于表示注意信号，可采用黄色、黄色闪光或其他动态发光的形式区分不同注意内容。
  4 信号机的不同发光形式应能明确辨识，同一种灯光颜色的同一种发光形式宜只表示一种显示意义。

  5 指示方向时,可采用带有箭头的灯光指示。

  6 信号机显示不同灯光时,可同时辅助声音提示。

6.0.4 信号机宜安装在巷道上部灯光显示不受影响的地方;在巷道内,当右侧行车时宜安装于右侧,当左侧行车时宜安装于左侧。

6.0.5 信号机的显示距离应大于200m。对车场等场所的发车信号机,在保证行车安全前提下,可不受此限。当信号显示距离因弯道及其他因素影响行车安全时,应设置预告信号机。

6.0.6 预告信号机当其主体信号机关闭信号时,应自动转为注意信号。当预告信号机出现不正常显示或灯光熄灭时,应视为注意信号。

6.0.7 信号机安装位置应符合下列规定:

  1 轨道运输信号系统中,信号机至顺向道岔警冲标的距离不应小于2m。

  2 轨道运输信号系统中,信号机至逆向道岔岔尖的距离不应小于2m。

  3 无轨胶轮车运输信号系统中,交叉路口作为行车区段时应在运行方向入口处设置信号机,入口处信号机至路口的距离不宜小于2m。

  4 无轨胶轮车运输信号系统中,交叉路口作为错车区段时应在运行方向出口处设置信号机,出口处信号机至路口的距离不宜小于1m,并应易于观察。有避让、转弯和调头作业时,可在运行方向的入口处设置停车线或信号机。

7 道岔与转辙装置

7.0.1 道岔控制方式选择应符合下列规定：

1 经常使用且逆岔尖有两个运行方向的道岔,应采用电控道岔。

2 逆岔尖只有一个运行方向的道岔,宜采用弹簧道岔。

3 不经常使用且逆岔尖有两个运行方向的道岔,可采用手动道岔。

4 在运输繁忙的主要干线上的道岔,当重车运行方向为逆岔尖方向,采用手动道岔或弹簧道岔不能保证行车安全或不能满足行车组织要求时,应采用电控道岔。

7.0.2 监控系统控制范围内的电控道岔,应具有联锁控制道岔和单操道岔两种方式。单操道岔方式应只在检修或特殊情况下使用。

7.0.3 当采用单操道岔或现场手动操作道岔时,应设有系统闭锁条件。

7.0.4 系统控制范围内的电控道岔的表示信息应能准确反映道岔位置和密贴状态。

7.0.5 轨道机车运输信号系统道岔与转辙装置选择应符合下列规定：

1 电控道岔转辙装置应具备挤岔功能。当发生挤岔时,系统应发出报警信号,不得将挤岔作为正常运行方式。

2 电控道岔的尖轨与基本轨应密贴。当电控道岔的尖轨与基本轨间隙达到或超过 4mm 时,系统应发出报警信号。

3 电控道岔不能扳到预定位置时,应能返回原位,系统应发出报警信号。

4 电控道岔转辙装置应满足各种轨型对拉力及密贴侧压力的要求，行程应在 80mm～140mm 之间可调。

5 电控道岔转辙装置宜能用摇把直接扳动道岔，当用摇把扳动时，应能自动切断控制电路。

6 电控道岔转辙装置宜采用角钢安装方式，周围空间应满足检修的要求。

7.0.6 单轨吊车的轨道道岔扳到预定位置后，应用锁定销将道岔位置锁定。

7.0.7 井下巷道宽度不满足转辙装置的安装需求时，应在井下设置专用的安装壁龛，并应满足设备安装与维护的空间要求。

8 车位传感器与无线收发信装置

8.0.1 车位传感器的选型应能适应井下的环境条件,安全可靠,并应满足不同运输系统的应用要求。

8.0.2 区段内应设置检测机车车辆位置的车位传感器,车位传感器的设置应满足进路询问、信号转换、区段占用、区段出清、道岔转换、进路解锁等不同功能的要求。

8.0.3 当一个车位传感器起多种作用时,在任何情况下均应明确区别其作用,不应危及行车安全,并应满足通过能力的要求。

8.0.4 信号机或停车线前方宜设置进路询问传感器,询问传感器的位置应符合下列规定:

　　1 应满足及时提示人工办理或自动办理进路并开放信号的要求。

　　2 系统控制范围入口处、区间入口处、车场入口处的询问传感器,在线路条件允许的情况下,宜安装在相应信号机或停车线前方不小于80m处。

　　3 应满足因人工进路解锁或常开模式下被敌对进路锁闭等原因导致突然关闭信号时,以正常速度运行的机车车辆能在信号机或停车线前方及时停车的要求。

8.0.5 信号机或者停车线后方应设置信号转换传感器,并应满足机车车辆进入信号机或停车线后方之后及时关闭信号的要求。

8.0.6 区段应设置不同运行方向的区段占用和区段出清传感器。区段占用传感器的位置应满足机车车辆进入区段时及时占用该区段的要求,区段出清传感器的位置应满足机车车辆全部出清区段后才能解除该区段占用的要求。

8.0.7 进路应设置进路解锁传感器。进路解锁传感器的位置应能满足进路一次解锁或分段解锁的要求。

8.0.8 轨道运输信号系统的车位传感器应符合下列规定：

  1 区段占用传感器的车位检测误差不应大于5m。

  2 在双向运行的轨道线路上，应能根据车位传感器的检测信息区分机车车辆的运行方向。

  3 信号转换传感器至相应信号机的距离不应大于5m。

  4 道岔区段的车位传感器至顺向道岔警冲标、逆向道岔岔尖的距离不应小于2m，并应保证行车安全。

  5 在调头作业中，根据需要可设置道岔转换传感器。道岔转换传感器的位置应满足机车车辆全部出清道岔后及时转换道岔的要求。

8.0.9 无轨胶轮车运输信号系统的车位传感器应符合下列规定：

  1 区段占用传感器的车位检测误差不应大于15m。

  2 不同区段的车位传感器检测范围不宜重叠，不应因车位误判危及行车安全。

  3 信号转换传感器至相应信号机或停车线的距离不应大于15m。

  4 错车区段应至少设置一个区段占用传感器，错车区段内所有区段占用传感器的检测范围应覆盖整个错车区段。

  5 常开模式下，有敌对进路的信号机或停车线前方应设置询问传感器，该询问传感器的位置应满足机车车辆进入信号机或停车线后方之前及时关闭敌对信号并锁闭敌对进路的要求。

8.0.10 无线收发信装置宜用于接收或发送车号、车类、发车、左行、右行等信息。在保证车位检测误差等车位传感器检测要求前提下，可采用无线收发信装置代替车位传感器。

8.0.11 无线收发信装置宜符合下列规定：

  1 用于系统入口车号检测时，在线路条件允许情况下，宜安装在运输信号系统控制范围入口处的信号机或停车线前方不小于80m处。

2 用于发车车号检测时,宜安装在装载线、卸载线、人车线、存车线等出口处的信号机或停车线前方 10m～15m 处。
　　3 用于运行方向请求检测时,宜安装在运输线路的分岔点、交叉路口等处的信号机或停车线前方 10m～15m 处。
8.0.12 无轨胶轮车运输信号监控系统应具有车号检测功能,轨道运输信号监控系统宜具有车号检测功能。

9 联锁设备与测控分站

9.0.1 运输信号监控系统和局控系统宜采用计算机联锁设备。

9.0.2 运输信号系统的联锁设备和测控分站应采用高可靠性硬件。当采用计算机联锁设备时,应选用工业级产品,并应具有备份配置。

9.0.3 计算机联锁设备应具有数据存储能力,并应能存储不少于90d 的系统运行数据。

9.0.4 监控系统应具备与矿调度中心进行信息交换的硬件和软件接口,并应设置专用数据服务器实现与外部系统的数据传输。计算机联锁设备应通过专用传输线路向数据服务器传输数据。

9.0.5 计算机联锁设备应设置操作权限。

9.0.6 监控系统应具有历史信息查询和重演功能,宜具有运输调度管理功能。

9.0.7 监控系统的计算机联锁设备宜设置在地面。

9.0.8 计算机联锁设备宜具备以太网传输接口和串行传输接口。

9.0.9 监控系统应在运输线路现场设置测控分站,测控分站数量和位置应根据系统最大控制范围、供电设备容量、信号设备设置数量及分布、测控分站接入信号设备容量、最大传输距离、施工便利程度等因素确定。

9.0.10 测控分站的软硬件宜采用具有高可靠性的嵌入式系统设计;测控分站之间以及测控分站与联锁设备之间,宜采用现场总线、以太网等可靠的有线传输技术。

9.0.11 测控分站宜具有检测与控制数据的存储和上传功能,在保证行车安全的前提下,可具有局部信号设备的联锁控制功能。

9.0.12 测控分站所连接的信号机、转辙装置、车位传感器、收信机等信号设备的传输线路长度不应超过 2km。

9.0.13 测控分站应具备工作状态的自检功能,当传输中断时应使所控制的信号设备导向安全的工作状态。

9.0.14 测控分站井下的安装位置不应影响行车、行人安全,并应方便设备的维护。

10 显示装置与控制台

10.0.1 系统控制范围内的线路、区段、信号机、停车线、道岔、车位传感器、无线收发信装置等应以模拟形式反映到显示装置上，显示应实时、形象、清晰、简单。显示装置应可靠、易维护，并宜选用先进、适用的技术和设备。

10.0.2 显示装置应包括下列显示内容：
　　1 区段占用、区段空闲等状态显示。
　　2 进路的办理、建立、解锁等状态显示。
　　3 信号的开放、关闭、故障等状态显示。
　　4 电控道岔的定位、反位、故障等状态显示。
　　5 车位传感器状态显示。
　　6 各类事故报警显示。
　　7 其他显示。

10.0.3 显示装置宜包括下列显示内容：
　　1 区段内车号、区段内允许车辆组数、区段内实际车辆组数等显示。
　　2 控制范围以外各区域允许进入的机车车辆组数、实际进入的机车车辆组数及车号等显示。

10.0.4 控制台应具有实体或操作界面的控制按钮，并应具有下列按钮功能：
　　1 人工办理、解锁进路。
　　2 人工开放、关闭信号。
　　3 人工封锁、解封区段。
　　4 定位、反位单操道岔。
　　5 解除报警。

6 其他用途。

10.0.5 控制台采用实体控制按钮时应性能可靠、寿命长，用作人工解锁进路、人工解封区段等重要功能的按钮应有机械闭锁或电气闭锁，或者采用双按钮确认的操作方式。采用计算机操作界面时，应有防止误操作的措施，人工操作的重要功能应设置操作密码。

10.0.6 发生道岔四开、挤岔、冒进信号等事故时，显示装置或控制台应有声光报警信号。

10.0.7 不同类别的声光信号应明确区分。人工切断事故声音报警信号后，不应影响下次报警。

11 电源与线缆

11.0.1 监控系统属于二级负荷,应采用双回路供电,其中主供电源应为专用电源。局控系统和简控系统宜采用一路专用电源供电。

11.0.2 监控系统地面调度中心站的计算机设备应配备在线式不间断备用电源;在电网停电后,不间断备用电源应能保证系统连续工作时间不小于2h。测控分站的供电电源应配备在线式不间断备用电源,在电网停电后应能维持测控分站连续工作时间不小于2h。

11.0.3 运输信号系统设备应采取集中供电或专用干线供电方式,不应与井下照明线路共用同一回路。

11.0.4 运输信号系统设备受电端的供电电压波动范围不宜超过额定电压的-15%~+10%。

11.0.5 地面至井下的主干传输线缆宜设置两条专用通道,互为备用,并宜沿不同路径敷设。

11.0.6 传输电缆、信号电缆的芯数应满足设备的需求。主干传输电缆备用芯线不应少于实际使用芯线数量的50%,分支传输电缆的备用芯线不应少于实际使用芯线数量的30%,信号电缆的备用芯线不应少于实际使用芯线数量的10%。

11.0.7 传输光缆的芯数应满足传输设备的需求,备用芯线不宜少于实际使用芯线数量的20%。

11.0.8 井下传输电缆、信号电缆应采用煤矿用阻燃型电缆,电缆规格应能满足信号能量、传输距离、信号带宽、抗干扰性能等方面的要求。

11.0.9 线缆长度除应满足线路敷设和设备连接外,尚应预留

5%～10%的备用量。

11.0.10 入井线缆在入井口处应设防雷电装置,电缆的屏蔽层、金属护层及光缆的金属件均应良好接地。

12 调度中心站

12.0.1 运输信号系统调度中心站应包括调度控制室和设备室等。调度中心站宜设于地面，可单独设置，也可与矿调度中心合并设置。

12.0.2 运输信号系统调度中心站应根据实际需要配置显示、控制、报警、联锁、传输、数据管理、电源等设备或装置。

12.0.3 运输信号系统调度中心站应配备与矿调度中心、井下调度站及各运输相关部门和岗位联系的有线调度通信设备。

12.0.4 运输信号系统调度中心站宜配备与井下机车车辆司机联系、辅助行车指挥的无线调度通信设备。

12.0.5 运输信号系统调度中心站应能与矿调度中心实现网络连接，并应具备实现矿调度中心对运输信号系统远程监测的数据传输接口。

12.0.6 监控系统调度中心站宜配备向井下主要车场、分岔点、交叉路口等下达行车指令、辅助行车指挥的广播设备。

12.0.7 监控系统调度中心站宜配备通过井下主要车场、分岔点、交叉路口等处设置的远程显示屏发布行车计划、辅助行车指挥的相关设备。

12.0.8 运输信号系统发生故障或检修、停用时，行车人员应执行调度员在调度中心站或现场通过无线电话、广播及手信号等方式发出的行车指令。

12.0.9 运输信号系统调度中心站面积应满足设备布置、使用和维护的需要。地面运输调度控制室不宜小于 $25m^2$，设备室不宜小于 $15m^2$。

12.0.10 运输信号系统可根据需要在井下设置调度站和设备硐室。

附录 A 运输信号平面布置图与联锁关系表

A.0.1 轨道机车运输信号平面布置(图A.0.1,见书后插页1)应包括控制范围内信号设备布置及与信号设备有关的轨道线路布置、各车场、大巷、硐室、装卸载站(线)、人车线、存车线及控制范围出入口等应标注名称。

A.0.2 轨道机车运输信号基本进路联锁关系应符合表A.0.2的规定。

表 A.0.2 轨道机车运输信号基本进路联锁关系

进路编号	基本进路 起点	基本进路 终点	办理进路按钮	区段空闲检查	信号机 名称	信号机 显示常亮	联锁道岔	进路询问	信号转换	车位传感器 区段占用	车位传感器 区段出清	道岔转换	进路解锁	敌对进路	备注
1	1X	3X	1X-3X	1Q	1X	L H	—	2WJ、1WJ	2WJ、1J	2WJ/2WQ、1WJ/1WQ、1J/1Q	1WJ/2WQ、1J/1WQ	—	1J	—	—
2	2X	东翼大巷	2X-2LQ	1LQ、2LQ	2X	L H	—	4J	2J	2J/1LQ、1LJ/2LQ	2J/2Q、1LJ/1LQ、2LJ/2LQ	—	2LJ	—	—

· 33 ·

续表 A.0.2

进路编号	基本进路 起点	基本进路 终点	办理进路按钮	区段空闲检查	信号机 名称	信号机 显示常亮	联锁道岔	进路询问	信号转换	区段占用	区段出清	道岔转换	进路解锁	敌对进路	备注
3	3X	5X	—	3Q、DWQ、信号自动开放	3X	L	—	—	3J	3J/3Q、DWJ/DWQ	3J/1Q、DWJ/3Q	—	—	—	区间
4	4X	2X	—	2Q、信号自动开放	4X	L	—	—	4J	4J/2Q	4J/4Q	—	—	—	区间
5	5X	9X	5X-9X	(2-5)DQ、8DQ、11DQ、7Q	5X	L	1/2,3/4、5,7/8、11/12	DWJ	5J	5J/(2-5)DQ、9J/8DQ、15J/11DQ、17J/7Q	5J/DWQ、9J/(2-5)DQ、15J/8DQ、17J/11DQ	—	9J、17J	6,7,8,9、10,13,16、22,23,25	
6	5X	饲载站	5X-9Q	(2-5)DQ、(1-6)DQ、9DQ、9Q	5X	LS	1/2、(3/4)、(6),9/10	DWJ	5J	5J/(2-5)DQ、5J/(1-6)DQ、8J/9DQ、16J/9Q	5J/DWQ、8J/(2-5)DQ、8J/(1-6)DQ、16J/9DQ、22J/9Q	—	8J、22J	5,7,8、11,12	

续表 A.0.2

进路编号	基本进路 起点	基本进路 终点	办理进路按钮	区段空闲检查	信号机 名称	信号机 显示常亮	联锁道岔	进路询问	信号转换	车位传感器 区段占用	车位传感器 区段出清	道岔转换	进路解锁	敌对进路	备注
7	5X	人车场	5X-5Q	(2-5)DQ、(7-13)DQ、5Q	5X	U	1/2、3/4、(5)、7/8、(13)	DWJ	5J	5J/(2-5)DQ、7J/(7-13)DQ、11J/5Q	5J/DWQ、7J/(2-5)DQ、11J/(7-13)DQ、13J/5Q	—	7J、13J	5,6,8,9、10,13	—
8	6X	4X	6X-4X	(7-13)DQ、(2-5)DQ、(1-6)DQ、4Q	6X	L	13、7/8、(5)、3/4、(1/2)	14J	12J	12J/(7-13)DQ、7J/(2-5)DQ、7J/(1-6)DQ、6J/4Q	12J/6Q、7J/(7-13)DQ、6J/(2-5)DQ、6J/(1-6)DQ	—	7J、6J	5,6,7,9、10,11,13	—
9	6X	9X	6X-9X	(7-13)DQ、8DQ、11DQ、7Q	6X	U	13、(7/8)、11/12	14J	12J	12J/(7-13)DQ、12J/8DQ、15J/11DQ、17J/7Q	12J/6Q、15J/(7-13)DQ、15J/8DQ、17J/11DQ	—	15J、17J	5,7,8,10、13,16,22、23,25	—

· 35 ·

续表 A.0.2

进路编号	基本进路			办理进路按钮	区段空闲检查	信号机		联锁道岔	车位传感器					敌对进路	备注
	起点	终点				名称	显示常亮		进路询问	信号转换	区段占用	区段出清	道岔转换	进路解锁		
10	7X	副立井出车侧		7X-6X	11DQ,8DQ,(7-13)DQ,6Q	7X	H	11/12,(7/8),13		17J	17J/11DQ,15J/8DQ,15J/(7-13)DQ,12J/6Q	17J/7Q,15J/11DQ,12J/8DQ,12J/(7-13)DQ,14J/6Q	—	12J,14J	5,7,8,9,13,16	单机
11	8X	4X		8X-4X	(10-12)DQ,(1-6)DQ,4Q	8X	L	11/12,9/10,6,3/4,1/2	20J	18J	18J/(10-12)DQ,10J/(1-6)DQ,6J/4Q	18J/8Q,10J/(10-12)DQ,6J/(1-6)DQ	—	10J,6J	6,8,12,13,16	—
12	8X	卸载站		8X-9Q	(10-12)DQ,9DQ,9Q	8X	LS	11/12,(9/10)	20J	18J	18J/(10-12)DQ,18J/9DQ,16J/9Q	18J/8Q,16J/(10-12)DQ,16J/9DQ,22J/9Q	—	16J,22J	6,11,13,16	—

· 36 ·

续表 A.0.2

进路编号	基本进路 起点	基本进路 终点	办理进路按钮	区段空闲检查	信号机 名称	信号机 显示	信号机 常亮	联锁道岔	进路询问	信号转换	车位传感器 区段占用	车位传感器 区段出清	道岔转换	进路解锁	敌对进路	备注
13	8X	人车场	8X-5Q	(10-12)DQ、11DQ、8DQ、(7-13)DQ、5Q	8X	US	H	(11/12)、(7/8)、(13)	20J	18J	18J/(10-12)DQ、18J/11DQ、15J/8DQ、15J/(7-13)DQ、11J/5Q	18J/(10-12)DQ、15J/11DQ、11J/8DQ、11J/(7-13)DQ、13J/5Q	—	15J、11J、13J	5,7,8,9、5,7,10,11,12、16	—
14	9X	15X	9X-15X	16DQ、(17-21)DQ、(23-27)DQ、15Q	9X	L	H	15/16、17/18、21/22、23,25/26、27	17J	19J	19J/16DQ、25J/(17-21)DQ、27J/(23-27)DQ、35J/15Q	19J/7Q、25J/16DQ、27J/(17-21)DQ、35J/(23-27)DQ	—	27J、33J、31J	15,16,17、19,20,21、22,23,25	—
15	9X	消防材料库	9X-13X	16DQ、(17-21)DQ、(23-27)DQ、13Q	9X	LS	H	15/16、17/18、21/22、23、25/26、(27)	17J	19J	19J/16DQ、25J/(17-21)DQ、27J/(23-27)DQ、31J/13Q	19J/7Q、25J/16DQ、27J/(17-21)DQ、31J/13Q	—	27J、33J、31J	27J、14,16,17、19,20,21、22,23,25	—

续表 A.0.2

进路编号	基本进路 起点	基本进路 终点	办理进路按钮	区段空闲检查	信号机 名称显示	信号机 显示常亮	联锁道岔	进路询问	信号转换	车位传感器 区段占用	车位传感器 区段出清	道岔转换	进路解锁	敌对进路	备注
16	9X	7X	9X-8X-7X	16DQ、(17-21)DQ、16DQ、(15-19)DQ、8Q、(10-12)DQ、11DQ、8DQ	9X/8X	U/U H	15/16、(11/12)、[17/18]、[21/22]、[7/8]	17	19J、18J	19J/16DQ、25J/(17-21)DQ、25J/16DQ*、20J/(15-19)DQ、20J/8Q、18J/(10-12)DQ、18J/11DQ、15J/8DQ、15J/11DQ*	19J/16DQ、20J/(17-21)DQ、20J/16DQ*、20J/(15-19)DQ、18J/8Q、18J/(10-12)DQ、15J/8DQ、17J/11DQ*	25J/(15/16)、15J/11/12	17J	5、9、10、11、12、13、14、15、17、18、20、21、22、23、24、25	东翼矸石车单机调头
17	9X	副立井进车侧	9X-12Q	16DQ、(17-21)DQ、(14-18)DQ、12Q	9X	US H	15/16、(17/18)、14	17	19J	19J/16DQ、25J/(17-21)DQ、25J/(14-18)DQ、32J/12Q	19J/7Q、25J/16DQ、32J/(17-21)DQ、32J/(14-18)DQ、34J/12Q	—	32J、34J	14、15、16、20、21、22、23、25	推送

· 38 ·

续表 A.0.2

进路编号	基本进路 起点	基本进路 终点	办理进路按钮	区段空闲检查	信号机 名称显示	信号机 常亮	联锁道岔	进路询问	信号转换	车位传感器 区段占用	车位传感器 区段出清	道岔转换	进路解锁	敌对进路	备注
18	10X	8X	10X-8X	20DQ、(15-19)DQ、8Q	10X	L	H	(19/20)、15/16	24J	26J	26J/20DQ、26J/(15-19)DQ、20J/8Q	26J/10Q、20J/20DQ、20J/(15-19)DQ	—	20J	16,19,20,24	—
19	10X	15X	10X-15X	20DQ、(22-25)DQ、(23-27)DQ、15Q	10X	U	H	19/20、(24)、(25/26)、27	24J	26J	26J/20DQ、30J/(22-25)DQ、30J/(23-27)DQ、35J/15Q	26J/10Q、30J/20DQ、35J/(22-25)DQ、35J/(23-27)DQ	—	35J	14,15,18,21,23,24,25	—
20	11X	8X	11X-8X	(14-18)DQ、(17-21)DQ、16DQ、(15-19)DQ、8Q	11X	L	H	(14)、(17/18)、(15/16)	23J	21J	21J/(14-18)DQ、21J/(17-21)DQ、25J/16DQ、25J/(15-19)DQ、20J/8Q	21J/11Q、25J/(14-18)DQ、25J/(17-21)DQ、20J/16DQ、20J/(15-19)DQ	—	25J、20J	14,15,16,17,18,21,22,23,24,25	—

· 39 ·

续表 A.0.2

进路编号	基本进路 起点	基本进路 终点	办理进路按钮	区段空闲检查	信号机 名称	信号机 显示	信号机 常亮	联锁道岔	进路询问	信号转换	车位传感器 区段占用	车位传感器 区段出清	道岔转换	进路解锁	敌对进路	备注
21	11X	15X	11X-15X	(14-18)DQ、(23-27)DQ、15Q	11X	U	H	(14)、17/18、(23)、25/26、27	23J	21J	21J/(14-18)DQ、29J/(23-27)DQ、35J/15Q	21J/11Q、29J/(14-18)DQ、35J/(23-27)DQ	—	29J、35J	14,15,16、17,19,20、22,23	—
22	12X	7X	12X-7X	(14-18)DQ、(17-21)DQ、16DQ、7Q	12X	L	H	14、(17/18)、15/16	34J	32J	32J/(14-18)DQ、32J/(17-21)DQ、25J/16DQ、19J/7Q	32J/12Q、25J/(14-18)DQ、25J/(17-21)DQ、19J/16DQ	—	25J、19J	5,9,14,15、16,17,20、21,23,25	单机
23	13X	7X	13X-7X	(23-27)DQ、(17-21)DQ、16DQ、7Q	13X	L	H	(27)、25/26、23、21/22、17/18、15/16	31J	33J	33J/(23-27)DQ、27J/(17-21)DQ、25J/16DQ、19J/7Q	33J/13Q、27J/(23-27)DQ、25J/(17-21)DQ、19J/16DQ	—	27J、19J	5,9,14,15、16,17,19、20,21,22、25	—

续表 A.0.2

进路编号	基本进路 起点	基本进路 终点	办理进路按钮	区段空闲检查	信号机 名称	信号机 显示	信号机 常亮	联锁道岔	进路询问	信号转换	车位传感器 区段占用	车位传感器 区段出清	道岔转换	进路解锁	敌对进路	备注
24	14X	8X	14X-8X	(22-25)DQ、(15-19)DQ、8Q	14X	L	H	25/26、24、21/22、19/20、15/16	38J	36J	36J/(22-25)DQ、28J/(15-19)DQ、20J/8Q	36J/14Q、28J/(22-25)DQ、20J/(15-19)DQ	—	28J、20J	16,18,19,20,25	—
25	14X	7X	14X-7X	(22-25)DQ、(17-21)DQ、16DQ、7Q	14X	U	H	25/26、24、(21/22)、17/18、15/16	38J	36J	36J/(22-25)DQ、36J/(17-21)DQ、25J/16DQ、19J/7Q	36J/14Q、25J/(22-25)DQ、25J/(17-21)DQ、19J/16DQ	—	25J、19J	5,9,14,15、16,17,19、20,22,23、24	—
26	15X	17X	15X-17X	28DQ、XWQ、16Q、WQ	15X	L	H	28	35J	37J	37J/28DQ、40J/XWQ、XWJ/16Q、WJ/WQ	37J/15Q、40J/28DQ、XWJ/XWQ、WJ/16Q	—	XWJ、WJ	29,27	—

续表 A.0.2

进路编号	基本进路 起点	基本进路 终点	办理进路按钮	区段空闲检查	信号机 名称	信号机 显示常亮	联锁道岔	车位传感器 进路询问	车位传感器 信号转换	车位传感器 区段占用	车位传感器 区段出清	道岔转换	进路解锁	敌对进路	备注
27	16X	14X	16X-14X	28DQ、14Q	16X/16XY	L/L H/U	(28)	XWJ	40J	40J/28DQ、38J/14Q	40J/XWQ、38J/28DQ	—	38J	26	—
28	17X 西翼采区	车场	17X-17Q	T29DQ、17Q	17X	L	—	WJ	39J	39J/T29DQ、41J/17Q	39J/WQ、41J/T29DQ、43J/17Q	—	41J、43J	29	—
29	18X	16X	18X-16X	T29DQ、WQ、16Q、XWQ	18X	L	—	44J	42J	42J/T29DQ、39J/WQ、WJ/16Q、XWJ/XWQ	42J/18Q、39J/T29DQ、WJ/WQ、XWJ/16Q	—	XWJ	26、28	—

注：1 进路起点、终点名称宜采用信号机表述，无信号机时可采用区段、装卸载站、车场、大巷等名称表述。
  2 表中进路为基本进路，长进路联锁关系详表见表 A.0.3。
  3 相同起点和终点之间存在两条及以上路名的进路，可根据需要增设变通进路。
  4 "办理进路按钮"栏中，应顺序填写人工办理进路时先后按下的按钮名称，宜为进路起点、终点的信号机名称；无信号机时，也可采用区段等其他名称的按钮进行选择。有变通进路时应设置变通按钮进行区分。

· 42 ·

5 表中第3、4号进路、无敌对进路目进路上无道岔、信号显示采用常开模式;第1、2号进路的信号机设于控制范围出入口处,信号显示采用常闭模式。

6 表中 L、LS、U、US、H 分别表示常开模式、声音提示模式,也可采用常闭模式,其余信号机的信号显示均应采用常闭模式。

7 信号机有方向指示、声音提示功能时表示信号机的前提下,也可采用常闭模式,其余信号机的信号显示均应采用常闭模式。

8 表中道岔5、(6)分别表示5号单动道岔的定位、反位;1/2、(1/2)分别表示1号和2号双动道岔的定位、反位。需要时可采用()表示防护道岔。()表示带动道岔。表中[7/8]表示7号和8号双动道岔的定位、反位。

9 "进路转换"、"信号转换"、"进路解锁"子栏中的计轴器均表示机车车辆通过该计轴器后发出的车辆离去信息。

10 "道岔询问"子栏中询问传感器的信息用于反时提示人工办理进路或进路自动处理进路。

11 第16号进路中的"区段占用"子栏中,"19J/16DQ"表示当19J计轴器检测到车辆到来信息时,16DQ道岔区段应为占用状态;"区段出清"子栏中,"25J/16DQ*"、"15J/11DQ*"、"17J/11DQ*"分别表示16DQ、11DQ的第二次出清出清;"区段出清"子栏中,"25J/16DQ"、"15J/11DQ"分别表示16DQ、11DQ道岔区段已经出清;"区段占用"、"20J/16DQ"、子栏中,"25J/16DQ"、"15J/11DQ"分别表示16DQ、11DQ的第二次出清。

12 "进路解锁"子栏中的计轴器为单个时,表示进路一次解锁;计轴器为多个时,表示进路依顺序分段解锁。

13 表中每条进路的"进路解锁"子栏中最后一个计轴器是按照机车车辆全部出清进路中所有区段后,整个进路才能解锁的原则填写的。设计时也可按照最后一个区段后,整个进路才能解锁的原则填写。

14 当系统软硬件能够保证道岔位置不可能同时建立时,该进路栏中可不填入"敌对进路"栏中。例如第12号进路和第13号进路,两条进路11/12双动道岔的位置分别是定位和反位,在继电电路联锁系统中因硬件电路互锁,这两条进路不可能同时建立,这时可以不列入"敌对进路"中。

15 表中基本进路的设置仅为示例,设计时应根据需要编制基本进路。

43

A.0.3 轨道机车运输信号长进路联锁关系应符合表 A.0.3 的规定。

表 A.0.3　轨道机车运输信号长进路联锁关系

长进路编号	长进路起点	长进路终点	办理长进路按钮	信号机名称	显示	常亮	基本进路编号	备注
1	1X	卸载站	1X-9Q	1X	L	H	1	—
				3X	L	L	3	自动
				5X	LS	H	6	
2	1X	9X	1X-9X	1X	L	H	1	—
				3X	L	L	3	自动
				5X	L	H	5	—
3	1X	人车场	1X-5Q	1X	L	H	1	—
				3X	L	L	3	自动
				5X	U	H	7	
4	1X	西翼采区车场	1X-17Q	1X	L	H	1	—
				3X	L	L	3	
				5X	L	H	5	
				9X	L	H	14	
				15X	L	H	26	
				17X	L	H	28	
5	6X	东翼大巷	6X-2LQ	6X	L	H	8	—
				4X	L	L	4	自动
				2X	L	H	2	
6	6X	消防材料库	6X-13X	6X	U	H	9	
				9X	LS	H	15	
7	6X	西翼采区车场	6X-17Q	6X	U	H	9	
				9X	L	H	14	—
				15X	L	H	26	—
				17X	L	H	28	—

续表 A.0.3

长进路编号	长进路起点	长进路终点	办理长进路按钮	信号机名称	显示	常亮	基本进路编号	备注
8	10X	东翼大巷	10X-2LQ	10X	L	H	18	—
				8X	L	H	11	—
				4X	L	L	4	自动
				2X	L	H	2	—
9	10X	西翼采区车场	10X-17Q	10X	U	H	19	—
				15X	L	H	26	—
				17X	L	H	28	—
10	11X	东翼大巷	11X-2LQ	11X	L	H	20	—
				8X	L	H	11	—
				4X	L	L	4	自动
				2X	L	H	2	—
11	11X	西翼采区车场	11X-17Q	11X	U	H	21	—
				15X	L	H	26	—
				17X	L	H	28	—
12	12X	副立井出车侧	12X-6X	12X	L	H	22	—
				7X	L	H	10	—
13	18X	卸载站	18X-9Q	18X	L	H	29	—
				16X/16XY	L/L	H/U	27	—
				14X	L	H	24	—
				8X	LS	H	12	—
14	18X	7X	18X-7X	18X	L	H	29	—
				16X/16XY	L/L	H/U	27	—
				14X	U	H	25	—

续表 A.0.3

长进路编号	长进路 起点	长进路 终点	办理长进路按钮	信号机 名称	信号机 显示	信号机 常亮	基本进路编号	备注
15	18X	人车场	18X-5Q	18X	L	H	29	—
				16X/16XY	L/L	H/U	27	—
				14X	L	H	24	—
				8X	US	H	13	—

注:1 本表为基于表 A.0.2 编制的长进路联锁关系表的简化形式。表中"基本进路编号"栏中的每条进路应满足表 A.0.2 中相同编号基本进路中除"办理进路按钮"、"信号机"栏以外的联锁要求。

2 表中长进路的设置仅为示例,设计时应根据需要编制长进路。

A.0.4 无轨胶轮车运输信号平面布置(图 A.0.4,见书后插页 2)应包括控制范围内信号设备布置及与信号设备有关的巷道布置,各大巷、错车场、十字路口、丁字路口、错车硐室、避让硐室、调头硐室及控制范围出入口等应标注名称。

A.0.5 无轨胶轮车运输信号基本进路联锁关系应符合表 A.0.5 的规定。

表 A.0.5 无轨胶轮车运输信号基本进路联锁关系

进路编号	车型	进路起点	进路终点	办理进路按钮	区段检查	信号机名称	信号机显示	信号机方向	信号机常亮	进路询问	信号转换 $N=1$	信号转换 $N>1$	车位传感器 区段占用	车位传感器 区段出清 (或 $n-1$)	进路解锁 $N=1$	进路解锁 $N>1$	敌对进路 小车	敌对进路 大车	备注
1	小车	1X	3XT	—	1Q:$n<N$	1X	L	前	L	—	1D	1Q:$n \geq N$	00D/ 1CQ, 1D/1Q	1D/1CQ	1Q:$n=0$	1Q:$n<N$	—	38,39	—
2	小车	2XT	副井口	2X−副井口	2Q:$n<N$	2X	L	前	H	4D	02D	2Q:$n \geq N$ 或 $t=T$	02D/ 2CQ, 2D/2Q, 01D/1CQ	02D/4Q, 2D/2CQ, 01D/2Q, 00D/1CQ	2D, 00D	2CQ:$n=0$, 2Q:$n=0$	16	38,39, 40,41	—
3	小车	2XT	区域1	2X−区域1	11Q:$n<N$	2X	L	左	H	4D	02D	11Q:$n \geq N$ 或 $t=T$	02D/ 2CQ, 11D/11Q	02D/4Q, 2D/2CQ, 11D/2CQ, 12D/11Q	11D, 12D	2CQ:$n=0$, 11Q:$n=0$	4,5, 16	38,39, 40,41	—
4	小车	3XT	5X	3X−5X	(3Q+3CQ):$n<N$	3X	L	前	H	1D	02D	(3Q+3CQ):$n \geq N$ 或 $t=T$	02D/ 2CQ, 3D/3Q, 03D/3CQ	02D/1Q, 3D/2CQ, 03D/3Q	3D, 03D	2CQ:$n=0$, 3Q:$n=0$	3,16, 17	38,39, 40,41	—

续表 A.0.5

进路编号	车型	进路起点	进路终点	办理进路按钮	区段检查	信号机名称	信号机显示	信号机方向	信号机常亮	进路询问	信号转换 N=1	信号转换 N>1	车位传感器 区段占用(或n+1)	车位传感器 区段出清(或n-1)	进路解锁 N=1	进路解锁 N>1	敌对进路 小车	敌对进路 大车	备注
5		3XT	区域1	3X—区域1	11Q: $n<N$	3X	L	右	H	1D	02D	11Q: $n\geq N$	02D/2CQ	02D/1Q	11D、12D	2CQ: $n=0$, 11Q: $n=0$	3	38,39, 41	—
6	小车	4X	2XT	—	4Q: $n<N$, 信号自动开放	4X	L	前	L	—	4D	4Q: $n\geq N$ 或$t=T$	4D/4Q	4D/3CQ	4Q: $n=0$	4Q: $n<N$	—	40,41	—
7		5X	7X	—	5Q: $n<N$, 信号自动开放	5X	L	前	L	—	5D	5Q: $n\geq N$	5D/5Q	5D/3CQ	5Q: $n=0$	5Q: $n<N$	—	40,41	—
8		6X	4X	—	(6Q+3CQ): $n<N$, 信号自动开放	6X	L	前	L	—	6D	(6Q+3CQ): $n\geq N$	6D/6Q、03D/3CQ	6D/8Q、03D/6Q	6Q: $n=0$	6Q: $n<N$	—	40,41	—

· 48 ·

续表 A.0.5

进路编号	车型	进路 起点	进路 终点	办理进路按钮	区段检查	信号机 名称	信号机 显示	信号机 方向	信号机 常亮	进路简洞	信号转换 N=1	信号转换 N>1	车位传感器 区段占用(或n+1)	车位传感器 区段出清(或n−1)	进路解锁 N=1	进路解锁 N>1	敌对进路 小车	敌对进路 大车	备注
9	小车	7X	9XT	—	7Q:n<N,信号自动开放	7X	L	前	L	—	7D	7Q:n≥N	7D/7Q	7D/5Q	7Q:n=0	7Q:n<N	—	40,41	—
10	小车	8XT	6X	8X−6X	8Q:n<N	8X	L	前	H	10D	04D	8Q:n≥N	04D/4CQ,8D/8Q	04D/10Q,8D/4CQ	8D	4CQ:n=0	14,18,19,20,21,22	40,41,42,43	—
11	小车	8XT	区域2	8X−区域2	13Q:n<N	8X	L	左	H	10D	04D	13Q:n≥N 或 t=T	04D/4CQ,13D/13Q	04D/10Q,13D/4CQ,14D/13Q	13D,14D	4CQ:n=0,13Q:n=0	13,14,15,18,19,21,22	40,41,42,43	—
12	小车	8XT	区域3	8X−区域3	16Q:n<N	8X	L	右	H	10D	04D	16Q:n≥N 或 t=T	04D/4CQ,16D/16Q	04D/10Q,16D/4CQ,15D/16Q	16D,15D	4CQ:n=0,16Q:n=0	14,21	40,41,42,43	—

续表 A.0.5

进路编号	车型	进路起点	进路终点	办理进路按钮	区段检查	信号机名称	信号机显示	信号机方向	信号机常亮	进路调问	信号转换 $N=1$	信号转换 $N>1$	车位传感器 区段占用（或 $n+1$）	车位传感器 区段出清（或 $n-1$）	进路解锁 $N=1$	进路解锁 $N>1$	敌对进路 小车	敌对进路 大车	备注
13	小车	9XT	13X	9X-13X	9Q:$n<N$	9X	L	前	H	7D	04D	9Q:$n\geq N$ 或 $t=T$	04D/4CQ, 9D/9Q	04D/7Q, 9D/4CQ	9D	4CQ:$n=0$	11,18, 19,21, 22,23	40,41, 42,43	—
14	小车	9XT	区域3	9X-区域3	16Q:$n<N$	9X	L	左	H	7D	04D	16Q:$n\geq N$ 或 $t=T$	04D/4CQ, 16D/16Q	04D/7Q, 16D/4CQ	16D, 15D	4CQ:$n=0$, 16Q:$n=0$	10,11, 12,18, 19,21, 22	40,41, 43	—
15	小车	9XT	区域2	9X-区域2	13Q:$n<N$	9X	L	右	H	7D	04D	13Q:$n\geq N$ 或 $t=T$	04D/4CQ, 13D/13Q	04D/7Q, 13D/4CQ, 14D/13Q	13D, 14D	4CQ:$n=0$, 13Q:$n=0$	11,18	40,41, 43	—
16	小车	10XT	副井口	10X-副井口	2Q:$n<N$	10X	L	左	H	12D	02D	2Q:$n\geq N$ 或 $t=T$	02D/2CQ, 2D/2Q, 01D/1CQ	02D/2CQ, 01D/2Q, 00D/1CQ	2D, 00D	2CQ:$n=0$, 2Q:$n=0$	2,3,4	33,39, 41	—

· 50 ·

续表 A.0.5

进路编号	车型	进路起点	进路终点	办理进路按钮	区段检查	信号机 名称	信号机 显示	信号机 方向	信号机 常亮	进路询问	信号转换 N=1	信号转换 N>1	车位传感器 区段占用 (或 n+1)	车位传感器 区段出清 (或 n-1)	进路解锁 N=1	进路解锁 N>1	敌对进路 小车	敌对进路 大车	备注
17	小车	10XT	5X	10X-5X	(3Q+3CQ):n<N	10X	L	右	H	12D	02D	(3Q+3CQ): n≥N 或 t=T	12D/12Q, 02D/2CQ, 3D/3Q, 03D/3CQ	12D/12Q, 3D/2CQ, 03D/3Q	3D, 03D	2CQ: n=0, 3Q: n=0	4	38,40, 41	—
18		11XT	区域2	11X-区域2	13Q:n<N	11X	L	前	H	15D	04D	13Q:n≥N 或 t=T	15D/15Q, 04D/4CQ, 13D/13Q	15D/15Q, 04D/4CQ, 14D/13Q	13D, 14D	4CQ: n=0, 13Q:n=0	10,11, 13,14, 15,22	40,41, 43	—
19		11XT	13X	11X-13X	9Q:n<N	11X	L	左	H	15D	04D	9Q:n≥N 或 t=T	15D/15Q, 04D/4CQ, 9D/9Q	04D/15Q, 9D/4CQ	9D	4CQ:n=0	10,11, 13,14, 21,22, 23	40,41, 42,43	—
20		11XT	6X	11X-5X	8Q:n<N	11X	L	右	H	15D	04D	8Q:n≥N 或 t=T	15D/15Q, 04D/4CQ, 8D/8Q	04D/15Q, 8D/4CQ	8D	4CQ:n=0	10,22	40,41, 43	—

续表 A.0.5

进路编号	车型	进路 起点	进路 终点	办理 进路 按钮	区段检查	信号机 名称	显示	方向	常亮	进路词间	信号转换 $N=1$	信号转换 $N>1$	车位传感器 区段占用 ($N+1$或$n+1$)	车位传感器 区段出清 (N或$n-1$)	进路解锁 $N=1$	进路解锁 $N>1$	敌对进路 小车	敌对进路 大车	备注
21	小车	12XT	区域3	12X-区域3	16Q:$n<N$	12X L	前	H	14D	04D	16Q:$n\geq N$ 或 $t=T$	14D/14Q, 04D/4CQ	04D/14Q, 16D/4CQ	16D, 15D	4CQ; $n=0$, 16Q:$n=0$	10,11, 12,13, 14,19	40,41, 43	—
22		12XT	6X	12X-6X	8Q:$n<N$	12X L	左	H	14D	04D	8Q:$n\geq N$ 或 $t=T$	14D/14Q, 04D/4CQ 8D/8Q	04D/14Q, 8D/4CQ 15D/16Q	8D	4CQ; $n=0$	10,11, 18,19, 20	40,41, 43	—
23		12XT	13X	12X-13X	9Q:$n<N$	12X L	右	H	14D	04D	9Q:$n\geq N$ 或 $t=T$	14D/14Q, 04D/4CQ 9D/9Q	04D/14Q, 8D/4CQ 9D/4CQ	9D	4CQ;$n=0$	13,14, 18,19	40,41, 42,43	—
24		13X	19X	13X-19X	17Q:$n=0$, 18Q对向: $n=0$, (18Q顺向+ 5CQ):$n<N$	13X L	前	H	9D	17D	(17Q+ 18Q+ 5CQ): $n\geq N$ 或 $t=T$	17D/17Q, 18D/18Q, 05D/5CQ	17D/9Q, 18D/17Q, 05D/18Q	18D, 05D	17Q: $n=0$, 18Q: $n=0$	26,27, 29,31	42,43	—

· 52 ·

续表 A.0.5

进路编号	车型	进路 起点	进路 终点	办理进路按钮	区段检查	信号机 名称	信号机 显示	信号机 方向	信号机 常亮	进路询问	信号转换 $N=1$	信号转换 $N>1$	车位传感器 区段占用（或$n+1$）	车位传感器 区段出清（或$n-1$）	进路解锁 $N=1$	进路解锁 $N>1$	敌对进路 小车	敌对进路 大车	备注
25	小车	13X	15X	13X-15X	17Q:$n=0$,19Q:$n<N$	13X	L	右	H	9D	17D	(17Q+19Q):$n \geq N$ 或 $t=T$	17D/17Q,19D/19Q	17D/9Q,19D/17Q	19D	17Q:$n=0$	26,27	42,43	—
26	小车	14X	8XT	14X-9X	17Q:$n=0$,10Q:$n<N$	14X	L	前	H	20D	17D	(17Q+10Q):$n \geq N$ 或 $t=T$	17D/17Q,10D/10Q	17D/18Q,10D/17Q	10D	17Q:$n=0$	24,25	42,43	—
27	小车	14X	15X	14X-15X	17Q:$n=0$,19Q:$n<N$	14X	L	左	H	20D	17D	(17Q+19Q):$n \geq N$ 或 $t=T$	17D/17Q,19D/19Q	17D/18Q,19D/17Q	19D	17Q:$n=0$	24,25	42,43	—

续表 A.0.5

进路编号	车型	进路 起点	进路 终点	办理进路按钮	区段检查	信号机 名称	信号机 显示	信号机 方向	信号机 常亮	进路询问	信号转换 $N=1$	信号转换 $N>1$	车位传感器 区段占用（或 $n+1$）	车位传感器 区段出清（或 $n-1$）	进路解锁 $N=1$	进路解锁 $N>1$	敌对进路 小车	敌对进路 大车	备注
28	小车	15X	17X	—	21Q: $n<N$, 信号自动开放	15X	L	前	L	—	21D	21Q: $n \geq N$	21D/21Q	21D/19Q	21D,21Q: $n=0$	21Q: $n<N$	—	—	—
29	小车	16X	14X	16X- 14X	18Q	16X	L	前	H	22D 或 26D	20D	18Q: $n=0$, 对向; 顺向: $n<N$ 或 $t=T$	20D/18Q	20D/5CQ	18D	18Q: $n=0$	24	42,43	—
30	小车	17X	区域4	—	23Q: $n<N$, 信号自动开放	17X	L	前	L	—	23D	23Q: $n \geq N$	23D/23Q	25D/23Q	23D/21Q, 23Q: $n=0$	23Q: $n<N$	—	—	—

续表 A.0.5

进路编号	车型	进路起点	进路终点	办理进路按钮	区段检查	信号机名称	显示	方向	常亮	进路调 间	信号转换 N=1	信号转换 N>1	车位传感器 区段占用 (或n+1)	车位传感器 区段出清 (或n-1)	进路解锁 N=1	进路解锁 N>1	敌对进路 小车	敌对进路 大车	备注
31	小车	18X	16X	18X-16X	5CQ:n=0	18X	L	前	H	22D	05D	5CQ:n≥N 或 t=T	22D/20Q, 05D/5CQ	05D/20Q	05D 延时	5CQ:n=0	24,33	42,43	—
32	小车	19X	21X	19X-21X	22Q对向:n=0,(22Q顺向+6CQ):n<N	19X	L	前	H	18D	24D	(22Q+6CQ):n≥N 或 t=T	24D/22Q, 06D/6CQ	24D/5CQ, 06D/22Q	06D	22Q:n=0	33	42,43	—
33	小车	20X	16X	20X-16X	22Q对向:n=0,(22Q顺向+5CQ):n<N	20X	L	前	H	30D	26D	(22Q+5CQ):n≥N 或 t=T	26D/22Q, 05D/5CQ	26D/6CQ, 05D/22Q	05D	22Q:n=0	31,32	42,43	—

续表 A.0.5

进路编号	车型	进路起点	进路终点	办理进路按钮	区段检查	信号机名称	信号机显示	信号机方向	信号机常亮	进路询问	信号转换 N=1	信号转换 N>1	区段占用 (或n+1)	区段出清 (或n-1)	进路解锁 N=1	进路解锁 N>1	敌对进路 小车	敌对进路 大车	备注
34	小车	21X	7CQ	21X-22X	24Q对向:n=0,顺向:n<N	21X	L	前	H	24D	28D	24Q:n≥N 或t=T	28D/24Q, 07D/7CQ	28D/6CQ, 07D/24Q	07D	24Q:n=0	35	42,43	—
35	小车	22X	20X	22X-20X	24Q对向, n=0, (24Q顺向+6CQ):n<N	22X	L	前	H	29D 或 32D	30D	(24Q+6CQ): n≥N 或t=T	30D/24Q, 06D/6CQ	30D/7CQ, 06D/24Q	06D	24Q:n=0	34	42,43	—
36	小车	23X	区域6	—	25Q:n<N,信号自动开放	23X	L	前	L	—	27D	25Q:n≥N	27D/25Q	27D/7CQ, 29D/25Q	25Q:n=0	25Q: n<N	—	44	—
37	小车	24X	区域7	—	26Q:n<N,信号自动开放	24X	L	前	L	—	31D	26Q:n≥N	31D/26Q	31D/7CQ, 32D/26Q	26Q:n=0	26Q: n<N	—	45	—

· 56 ·

续表 A.0.5

进路编号	车型	进路起点	进路终点	办理进路按钮	区段检查	信号机名称	显示	方向	常亮	进路询问	信号转换 M=1	信号转换 M>1	车位传感器 区段占用 (或 m+1)	车位传感器 区段出清 (或 m−1)	进路解锁 M=1	进路解锁 M>1	敌对进路 小车	敌对进路 大车	备注
38	大车	1X	3X	1X－3X	(1Q+2Q): 对向, m=0, ((1Q+2Q+2CQ): 顺向+2CQ): m<M	1X	U	前	H	01D	1D	(1Q+2Q+2CQ): m≥M 或 t=T	01D/1CQ, 1D/1Q, 1D/2Q, 02D/2CQ	01D/1CQ, 02D/1Q, 02D/2Q	02D	(1Q,2Q): m=0	1,2,3, 4,5, 16,17	39,41	—
39	大车	2X	副井口	2X－大车－副井口	(1Q+2Q): 对向, m=0, 顺向: m<M	2X	U	前	H	4D	2D	(1Q+2Q): m≥M 或 t=T	2D/1Q, 2D/2Q, 01D/1CQ	2D/2CQ, 01D/1Q, 00D/1CQ	2D 延时, 00D	(1Q,2Q): m=0	1,2,3, 4,5,16	38	—

续表 A.0.5

进路编号	车型	进路起点	进路终点	办理进路按钮	区段检查	信号机名称	信号机显示	信号机方向	信号机常亮	进路询问	信号转换 M=1	信号转换 M>1	车位传感器 区段占用 (或 m+1)	车位传感器 区段出清 (或 m−1)	进路解锁 M=1	进路解锁 M>1	敌对进路 小车	敌对进路 大车	备注
40	大车	3X	9X	3X−9X	(3Q~8Q+3CQ)对向: $m=0$, ((3Q~8Q+3CQ)顺向+4CQ): $m<M$, 3CQ:$n<N$	3X/ 5X/ 7X	U/ U/ U	前	H/ H/ H	1D	3D	(3Q~8Q)+3CQ+ 4CQ: $m \geq M$ 或 $t=T$	3D/3Q, 3D/4Q, 03D/3CQ, 5D/5Q, 5D/6Q, 7D/7Q, 7D/8Q, 04D/4CQ	3D/2CQ, 03D/3Q, 03D/4Q, 5D/3CQ, 7D/5Q, 7D/6Q, 04D/7Q, 04D/8Q	03D, 5D延时, 04D	(3Q,4Q, 3CQ~ 8Q): $m=0$, (5Q~ 8Q): $m=0$	2,3,4,6, 7,8,9, 10,11, 12,13, 14,15, 17,18, 19,20, 21,22, 23	41	—
41	大车	8X	2X	8X−2X	(8Q~3Q+3CQ)对向: $m=0$, ((3Q~8Q+3CQ)顺向+2CQ): $m<M$, 3CQ:$n<N$	8X/ 6X/ 4X	U/ U/ U	前	H/ H/ H	10D	8D	(3Q~8Q)+3CQ+ 2CQ: $m \geq M$ 或 $t=T$	8D/8Q, 8D/7Q, 6D/6Q, 6D/5Q, 03D/3CQ, 4D/4Q, 4D/3Q, 02D/2CQ	8D/4CQ, 6D/8Q, 6D/7Q, 03D/6Q, 03D/5Q, 4D/3CQ, 02D/4Q, 02D/3Q	8D延时, 03D, 02D	(8Q): $m=0$, 5Q: $m=0$, (3CQ, 4Q,3Q): $m=0$	2,3,4,5, 6,7,8,9, 10,11, 12,13, 14,15, 16,17, 18,19, 20,21, 22,23	38,40	—

续表 A.0.5

进路编号	车型	进路起点	进路终点	办理进路按钮	区段检查	信号机名称	信号机显示	信号机方向	信号机常亮	进路瞬间	信号转换 $M=1$	信号转换 $M>1$	车位传感器 区段占用（或$m+1$）	车位传感器 区段出清（或$m-1$）	进路解锁 $M=1$	进路解锁 $M>1$	敌对进路 小车	敌对进路 大车	备注
42	大车	9X	7CQ	9X−7CQ	(9Q+ 10Q+ 17Q+ 18Q+ 5CQ+ 22Q+ 6CQ+ 24Q) 对向： $m=0$， 顺向： $m<M$， $n<N$， 6CQ；	9X/ 13X/ 19X/ 21X	U/ U/ U	前	H/ H/ H	7D/ 7D	9D	(9Q+10Q+ 17Q+18Q+ 5CQ+ 22Q+6CQ+ 24Q)； $m \geq M$ 或 $t=T$	9D/9Q、 9D/10Q、 17D/17Q、 18D/18Q、 05D/5CQ、 24D/22Q、 06D/6CQ、 28D/24Q、 07D/7CQ	9D/4CQ、 9D/9Q、 17D/9Q、 17D/10Q、 18D/17Q、 05D/18Q、 24D/5CQ、 06D/22Q、 28D/6CQ、 07D/24Q	9D延时 17D、 24D延时 07D	(9Q,10Q)； $m=0$， (17Q,18Q)； $m=0$， 5CQ； (22Q,6CQ)， 24Q)； $m=0$	10、11、 12、13、 19、23、 24、25、 26、27、 29、31、 32、33、 34、35	43	—

续表 A.0.5

进路编号	车型	进路 起点	进路 终点	办理进路按钮	区段检查	信号机 名称	信号机 显示	信号机 方向	常亮	进路 询问	信号转换 M=1	信号转换 M>1	车位传感器 区段占用(或m+1)	车位传感器 区段出清(或m−1)	进路解锁 M=1	进路解锁 M>1	敌对进路 小车	敌对进路 大车	备注
43	大车	22X	8X	22X−8X	(24Q+6CQ+22Q+5CQ+18Q+17Q+10Q+9Q+对向:((24Q+6CQ+22Q+5CQ+18Q+17Q+10Q+9Q+顺向+4CQ:m<M,6CQ;n<N	22X U/20X U/16X U/14X U	H/H/H/H	前	29D 或 32D	30D	(24Q+6CQ+22Q+5CQ+18Q+17Q+10Q+9Q+4CQ;m≥M 或 t=T	30D/24Q、06D/6CQ、26D/22Q、05D/5CQ、20D/18Q、17D/17Q、10D/10Q、04D/9Q、04D/4CQ	30D/24Q、06D/24Q、26D/6CQ、05D/22Q、20D/5CQ、17D/18Q、10D/17Q、04D/10Q、04D/9Q	30D 延时、26D 延时、20D 延时、10D、04D	(24Q:6CQ:m=0,(22Q:5CQ:m=0,(18Q:17Q:m=0,(10Q:9Q:m=0	10,11, 12,13, 14,15, 18,19, 20,21, 22,23, 24,25, 26,27, 29,31, 32,33, 34,35	42	—

续表 A.0.5

进路编号	车型	进路起点	进路终点	办理进路按钮	区段检查	信号机 名称显示	信号机 方向	信号机 常亮	进路询问	信号转换 M=1	信号转换 M>1	车位传感器 区段占用 (或 m+1)	车位传感器 区段出清 (或 m−1)	进路解锁 M=1	进路解锁 M>1	敌对进路 小车	敌对进路 大车	备注
44	大车	23X	区域6	23X−区域6	25Q: 对向, m=0, 顺向, m<M	23X	U	前	H	28D 或 32D	27D	25Q: m≥M 或 t=T	27D/25Q	27D/7CQ, 29D/25Q	27D 延时,29D	25Q: m=0	36	—	—
45	大车	24X	区域7	24X−区域7	26Q: 对向, m=0, 顺向, m<M	24X	U	前	H	28D 或 29D	31D	26Q: m≥M 或 t=T	31D/26Q	31D/7CQ, 32D/26Q	31D 延时,32D	26Q: m=0	37	—	—

注:1 进路起点、终点名称宜采用信号机表述;无信号机时可采用停车线、车场、区段及控制范围出入口等名称表述。

2 "办理进路按钮"栏中,应顺序填写进路时先后按下的按钮名称;无信号机起点、区段及控制范围出入口等其他名称的按钮进行选路;采用计算机操作界面时,也可通过选择"信号机、颜色、方向"等操作菜单进行选路。

3 表中"小车"是小型车辆简称,"大车"是大型车辆简称。小车与大车进路具有相同的起点和终点时,可在起点与终点之间增设"大车"按钮加以区别。

4 每条进路的信号开放前，相应进路应先满足"区段检查"栏中的要求。其中，N表示区段内设计允许的大车最大车辆数，M表示区段内设计允许的小车最大车辆数；n表示区段内实际大车数量，m和n只计算不同车号的车辆数量。第4号进路"区段检查"栏中的"(3Q+3CQ)"表示3CQ区段与3Q区段的对向大车总数量应满足$n<N$情况下的小车总数量应满足$m=0$，顺向大车总数量应满足$m<M$的要求。第39号进路"区段检查"栏中的"(1Q+2Q)对向，$m=0$，顺向，$m<M$"表示1Q区段与2Q区段的对向大车总数量应满足$m=0$，顺向大车总数量应满足$m<M$的要求。

5 1CQ,7CQ属于车辆的进出口处，可能存在车辆集等待的情况，可不列入到区段解锁条件中。双向双车道交叉路口2CQ、4CQ作为错车区段且双向共用一个读卡器时，因可能存在对向行驶车辆或同向非敌对行驶车辆（如直行列左行）的多台车辆，表中未列入到区段检查条件中；设计时也可根据需要将它们列入区段检查条件。

6 在进行区段检查时，小车联锁关系中"区段检查"栏中除了列规定的区段还应综合对进路的情况综合考虑。对行车区段与错车区段的小车数量$n=0$。对于类似13X和22X之间的双向单车道区间，相关进路还可根据后续进路的情况综合考虑进路的情况。

7 表中大型车辆敌对进路的信号均采用常闭模式。小型车辆敌对进路的信号采用常开模式，也可采用循环开模式。

8 大型车辆敌对进路联锁全部锁闭后，可采用常开模式。循环开模式，在相关模式联锁关系全部锁定在关闭状态后，也可采用循环开模式。

9 表中小型车辆双向双车道十字路口、丁字路口的各方向信号全部锁定在关闭状态后，可采用常开模式。双向单车道的信号在敌对信号全部锁定在关闭状态后，可采用常开模式；同向信号在敌对信号全部锁定在关闭状态后，可采用常开模式见表A.0.6。

10 表中L,U,H分别表示功能的显示灯光为绿色、黄色、红色。见表A.0.7。

11 信号机有声音提示功能时可增加相应子栏。

12 "进路询问"子栏中车位传感器即同传感器，其信息用于提示人工办理进路或提示信号转换传感器。区间较长时，可在距信号机或常停车线不远处加装自动办理进路。

13 表中进路询问传感器大部分与前一架信号机的信号转换传感器合用一个读卡器。

· 62 ·

小于80m处增设专用箱间传感器。

14 "信号转换"子栏中，在 N>1 情况下，区段内车辆数到设计允许的最大车辆数或信号开放时间达到规定的时间限制时，均应关闭信号。t 表示信号已开放的时间，T 表示信号开放时间。

15 小车联锁关系各台车辆时，表示区段内车辆应占用状态或车辆数变为 n+1；区段出清或车辆数变为 n-1。大车联锁关系表中 M、m 为类似的含义。
"区段占用（或 n+1）"子栏中，当区段内只允许有一台车辆时，表示每个 T 设计的时间都可以不同。
"区段出清（或 n-1）"子栏中，"00D/1CQ"表示当 00D 读卡器检测到车辆到达信息时，1CQ 错车区段已经出清出车辆；"1D/1CQ"表示当 1D 读卡器检测到车辆离开信息时，1CQ 错车区段已经出清出车辆。

16 "进路解锁"子栏中，读卡器或区段为单个时，表示进路区段为多个时，表示进路依顺序分段解锁；读卡器或区段为多个时，表示进路依顺序分段解锁。其中 N=1 情况下，无敌对进路时，采用进路空闲（即 n=0）作为信号自动开放解锁的条件，设计时也可采用标示车辆出清时相应区段的读卡器作为信号自动开放的条件。"(1Q,2Q)；m=0"表示 1Q 和 2Q 错车区段中都应满足大车数量 m=0 的要求。

17 大型车辆进路的"进路解锁"子栏中，在大型车辆开错车区段时，因车体过长、行驶速度较慢等因素，相应进路需延时解锁，延时时间可根据需要设置。

18 "敌对进路"栏中，应包括小型车辆之间、小型车辆与大型车辆之间、大型车辆之间的敌对进路。

19 表车小型车辆，同一信号机不同方向的进路不设为敌对进路，允许同时开放信号；双向双车道十字路口、丁字路口不同信号机防护的，无交叉作业的进路一般可不设为敌对进路，允许同时开放信号。但设计时应根据路口巷道的实际宽度、长度条件等具体情况考虑，在不能保证安全运行时无交叉作业的不同进路也可设为敌对进路。表中考虑到 5CQ 错车道三个方向错车的安全性，将 31 号进路与 24、33 号进路设为敌对进路。

20 表中基本进路的设置仅为示例，设计时应根据作业需要编制大、小型车辆的基本进路。

21 设计时可根据需要增设错车区及其相邻区段进行调头、避让等作业的进路。当错车区段的宽度、长度条件不能满足调头、避让等作业需要时，在保证运输需要的前提下，可增设占用错车区及其相邻区段信号长进路联锁关系表。

22 设计时可根据需要，参照表 A.0.3 所示的轨道摩托机车运输信号长进路联锁关系表编制无轨胶轮车运输进路联锁关系表。

· 63 ·

A.0.6 无轨胶轮车运输信号循环模式联锁关系应符合表 A.0.6 的规定。

表 A.0.6 无轨胶轮车运输信号循环模式联锁关系

循环组编号	范围	时段	信号机 名称	信号机 显示	信号机 方向	信号机 常亮	基本进路编号	备注
1	双向双车道丁字路口(2CQ)	T_1	2X	L	前	H	2	—
			2X	L	左	H	3	—
		T_2	3X	L	前	H	4	—
			3X	L	右	H	5	—
		T_3	10X	L	左	H	16	—
			10X	L	右	H	17	—
2	双向双车道丁字路口(2CQ)	T_1	2X	L	前	H	2	—
			3X	L	前	H	4	—
		T_2	3X	L	右	H	5	—
			2X	L	左	H	3	—
		T_3	10X	L	左	H	16	—
			10X	L	右	H	17	—
3	双向双车道十字路口(4CQ)	T_1	8X	L	前	H	10	—
			8X	L	左	H	11	—
			8X	L	右	H	12	—
		T_2	9X	L	前	H	13	—
			9X	L	左	H	14	—
			9X	L	右	H	15	—
		T_3	11X	L	前	H	18	—
			11X	L	左	H	19	—
			11X	L	右	H	20	—

续表 A.0.6

循环组编号	范围	时段	信号机 名称	显示	方向	常亮	基本进路编号	备注
3	双向双车道十字路口(4CQ)	T_4	12X	L	前	H	21	—
			12X	L	左	H	22	—
			12X	L	右	H	23	—
4	双向双车道十字路口(4CQ)	T_1	8X	L	前	H	10	—
			8X	L	右	H	12	—
			9X	L	前	H	13	—
			9X	L	右	H	15	—
		T_2	8X	L	左	H	11	—
		T_3	9X	L	左	H	14	—
		T_4	11X	L	前	H	18	—
			11X	L	右	H	20	—
			12X	L	前	H	21	—
			12X	L	右	H	23	—
		T_5	11X	L	左	H	19	—
		T_6	12X	L	左	H	22	—
5	双向单车道区间(22Q)	T_1	19X	L	前	H	32	—
		T_2	20X	L	前	H	33	—
6	双向单车道区间(24Q)	T_1	21X	L	前	H	34	—
		T_2	22X	L	前	H	35	—

注：1 循环模式仅适用于小型车辆，应在相关大型车辆进路的信号全部锁定在关闭状态后，才能采用循环模式。

2 本表为基于表 A.0.5 而编制的循环模式联锁关系表的简化形式。表中"基本进路编号"栏中的每条进路应满足表 A.0.5 中相同编号基本进路中除"办理进路按钮"、"信号机"栏以外的联锁要求。

3 每个循环组中,当循环执行时间到达"时段"子栏中设定的时间值时,经程序自动办理进路、满足联锁条件后,信号自动切换到该循环组下一个时段规定的显示内容。

4 "时段"栏中的 T_n 表示第 n 时段的设定时间。不同时段之间转换时,应先关闭前一时段的所有信号,确认相关区段已全部出清、相关进路已全部解锁,并间隔适当的安全时间后,才能开放下一时段的信号。

5 每个循环组的某个时段中除所列信号为开放状态外,同一循环组的其他信号在该时段中均为关闭状态。

6 第 5 号循环组中,应在 18X 的信号锁定在关闭状态后,19X、20X 才能采用循环模式。

7 表中循环组的设置仅为示例,设计时应根据需要编写循环组。

A.0.7 无轨胶轮车运输信号常开模式联锁关系应符合表 A.0.7 的规定。

表 A.0.7 无轨胶轮车运输信号常开模式联锁关系

常开组编号	范围	信号机 名称	显示	方向	常亮	进路询问传感器	基本进路编号	备注
1	除双向双车道丁字路口、十字路口外	1X	L	前	L	—	1	—
		4X	L	前	L	—	6	—
		5X	L	前	L	—	7	—
		6X	L	前	L	—	8	—
		7X	L	前	L	—	9	—
		13X	L	前	L	9D	24	—
		13X	L	右	L	9D	25	—
		14X	L	前	L	20D	26	—
		14X	L	左	L	20D	27	—
		15X	L	前	L	—	28	—
		16X	L	前	L	22D 或 26D	29	—
		17X	L	前	L	—	30	—

续表 A.0.7

常开组编号	范围	信号机 名称	信号机 显示	信号机 方向	信号机 常亮	进路询问传感器	基本进路编号	备注
1	除双向双车道丁字路口、十字路口外	18X	L	前	L	22D	31	—
		19X	L	前	L	18D	32	—
		20X	L	前	L	30D	33	—
		21X	L	前	L	24D	34	—
		22X	L	前	L	29D 或 32D	35	—
		23X	L	前	L	—	36	—
		24X	L	前	L	—	37	—
2	入井至各区域	1X	L	前	L	—	1	—
		3X	L	前	L	3D	4	—
		3X	L	右	L	3D	5	—
		5X	L	前	L	—	7	—
		7X	L	前	L	—	9	—
		9X	L	前	L	7D	13	—
		9X	L	左	L	7D	14	—
		9X	L	右	L	7D	15	—
		13X	L	前	L	9D	24	—
		13X	L	右	L	9D	25	—
		15X	L	前	L	—	28	—
		17X	L	右	L	—	30	—
		19X	L	前	L	18D	32	—
		21X	L	前	L	24D	34	—
		23X	L	前	L	—	36	—
		24X	L	前	L	—	37	—

续表 A.0.7

常开组编号	范围	信号机 名称	信号机 显示	信号机 方向	信号机 常亮	进路询问传感器	基本进路编号	备注
3	区域2出井	12X	L	左	L	14D	22	—
		6X	L	前	L	—	8	—
		4X	L	前	L	—	6	—
		2X	L	前	L	4D	2	—
4	区域3出井	11X	L	右	L	15D	20	—
		6X	L	前	L	—	8	—
		4X	L	前	L	—	6	—
		2X	L	前	L	4D	2	—
5	区域5出井	18X	L	前	L	22D	31	—
		16X	L	前	L	22D或26D	29	—
		14X	L	前	L	20D	26	—
		8X	L	前	L	10D	10	—
		6X	L	前	L	—	8	—
		4X	L	前	L	—	6	—
		2X	L	前	L	4D	2	—
6	区域6(区域7)出井	22X	L	前	L	29D或32D	35	—
		20X	L	前	L	30D	33	—
		16X	L	前	L	22D或26D	29	—
		14X	L	前	L	20D	26	—
		8X	L	前	L	10D	10	—
		6X	L	前	L	—	8	—
		4X	L	前	L	—	6	—
		2X	L	前	L	4D	2	—

注:1 本表为基于表 A.0.5 而编制的常开模式联锁关系表的简化形式。表中"基本进路编号"栏中的每条进路应满足表 A.0.5 中相同编号基本进路中除"办理进路按钮"、"信号机"栏以外的联锁要求。

2 常开模式仅适用于小型车辆,应在相关大型车辆进路的信号全部锁定在关闭状态后,才能采用常开模式。

3 第 1 号常开组中,因双向双车道十字路口、丁字路口的各方向进路有交叉作业,为保证行车安全,相关信号不采用常开模式,其他信号均采用了常开模式。

4 第 2~6 号常开组中,同一组内的信号机均为同向信号机,同向信号在相关敌对信号全部锁定在关闭状态后,才能采用常开模式。

5 常开模式下,应在车辆进入信号机或停车线后方之前,通过"进路询问传感器"栏中的询问传感器及时关闭所有敌对信号,并锁闭所有敌对进路。

6 表中常开组的设置仅为示例,设计时应根据需要编写常开组。

附录 B 设备图形符号

B.0.1 设备图形符号应符合表 B.0.1 的规定。

表 B.0.1 设备图形符号

序号	图形符号	名 称
1		三显示信号机(经常亮红灯)
2		二显示信号机(经常亮绿灯)
3		单灯位(加高)信号机,信号机一般符号
4		双灯位信号机
5		三灯位信号机
6		红色灯光
7		绿色灯光
8		黄色灯光
9		空位灯
10		直行
11		右行
12		左行
13		调头
14		电控道岔(直线开通为定位)
15		电控道岔(侧线开通为定位)

续表 B.0.1

序号	图形符号	名 称
16		弹簧道岔（直线开通为定位）
17		弹簧道岔（侧线开通为定位）
18		手动道岔
19		车位传感器
20		读卡器
21		收信机
22		发信机
23		收发信机
24		钢轨绝缘（两面有轨道电路）
25		钢轨绝缘（仅右面有轨道电路）
26		侵入限界绝缘
27		轨道电路极性
28		轨道电路送电端
29		轨道电路受电端
30		轨道电路送受电端
31		带扼流变压器的送受电端
32		轨条连接线
33		机车车辆运行方向（单方向）
34		机车车辆运行方向（双方向）

B.0.2 电路图和配线图图形符号应符合表 B.0.2 的规定。

表 B.0.2 电路图和配线图图形符号

序号	图形符号	名　　称
1		直流无极继电器
2		直流无极缓放继电器
3		有极继电器
4		极性保持继电器
5		极性保持加强继电器
6		偏极继电器
7		时间继电器(表示延时 3min)
8		前接点闭合
9		后接点断开
10		前接点断开
11		后接点闭合
12		前后接点组(前接点闭合,后接点断开)
13		前后接点组(前接点断开,后接点闭合)
14		极性定位接点闭合
15		极性定位接点断开
16		极性反位接点闭合
17		极性反位接点断开
18		极性定反位接点组(定位接点闭合,反位接点断开)
19		极性定反位接点组(定位接点断开,反位接点闭合)

续表 B.0.2

序号	图形符号	名　称
20		非自复式按钮接点(按下接通)
21		非自复式按钮接点(拉出接通)
22		自复式按钮接点(按下接通)
23		自复式按钮接点(拉出接通)
24		非自复式按钮按下接点组
25		自复式按钮拉出接点组

注:1　序号1~7:
　　(1)继电器图形可回转90°绘制;
　　(2)根据需要可在图形一侧加注符号"↑"或"↓";
　　(3)必要时可加注线圈电阻值。
　2　序号8~13:
　　(1)"↑"表示该无极继电器在吸起状态,"↓"表示在落下状态;
　　(2)与弧线相接代表接点闭合,与弧线相交代表接点断开;
　　(3)"1"表示用第一组接点。
　3　序号14~19:
　　"111"表示用第一组有极接点。
　4　序号8~25:
　　接点符号均可任意角度回转使用,但其辅助符号"↑"、"┬"、"┴"等不得旋转。

B.0.3　控制台盘面图图形符号应符合表B.0.3的规定。

表 B.0.3　控制台盘面图图形符号

序号	图形符号	名　称
1	◎	二位自复按钮
2	Ⓗ	二位自复式按钮(带灯)("H"为红色,"L"为绿色)
3	Ⓕ	二位非自复式按钮
4	Ⓗ	二位非自复式按钮(带灯)("H"为红色,"L"为绿色)

续表 B.0.3

序号	图形符号	名称
5	○	三位自复式按钮
6	Ⓗ	三位非自复式按钮(带灯)("H"为红色,"L"为绿色)
7	Ⓗ	表示灯("H"为红色,"L"为绿色,"U"为黄色)

附录C 运输信号设计常用字符代号

表C 运输信号设计常用字符代号

序 号	字 符 代 号	设 备 名 称
1	A	按钮
2	AJ	按钮继电器
3	B	白灯,变压器
4	BB	表示变压器
5	C	道岔,操纵
6	CA	道岔按钮
7	CAJ	道岔按钮继电器
8	CJA	道岔解锁按钮
9	CQ	错车区,错车区段
10	CRJ	道岔人工解锁继电器
11	D	读卡器
12	DBJ	道岔定位表示继电器
13	DCA	单操按钮
14	DCJ	道岔操纵继电器
15	DGJ	道岔区段轨道继电器
16	DH	电话
17	DKJ	道岔定位控制继电器
18	DL	电铃
19	DQJ	道岔启动继电器
20	1DQJ	道岔第一启动继电器

续表 C

序 号	字符代号	设备名称
21	2DQJ	道岔第二启动继电器
22	DSJ	道岔闭锁继电器
23	F	发送器
24	FBJ	道岔反位表示继电器
25	FCJ	道岔反位操纵继电器
26	FJ	发送器继电器,方向继电器
27	FKJ	反位控制继电器
28	FX	发信机
29	GJ	轨道继电器
30	H	红色灯光
31	J	计轴器
32	JCJ	挤岔继电器
33	JCL	挤岔电铃
34	JF	交流电源负极
35	JJ	解锁继电器
36	JLJ	进路继电器
37	JZ	交流电源正极
38	HF	混合电源负极
39	HZ	混合电源正极
40	KAJ	开始按钮继电器
41	KF	控制电源负极
42	KJ	开始继电器
43	KZ	控制电源正极
44	L	绿色灯光
45	LQA	进路取消按钮

续表 C

序 号	字符代号	设备名称
46	LS	绿色闪光,进路锁闭
47	LSXJ	绿色闪光信号继电器
48	LXJ	绿色信号继电器
49	Q	区段,行车区段
50	QJ	区段继电器,取消继电器
51	QJJ	区段校核继电器
52	SFX	收发信机
53	SGA	事故按钮
54	SJ	闭锁继电器
55	SJJ	时间继电器
56	SJZ	闪光交流电源正极
57	SKZ	闪光控制电源正极
58	SNJ	闪光继电器
59	SX	收信机
60	TCA	接通道岔表示按钮
61	U	黄色灯光
62	US	黄色闪光
63	USXJ	黄色闪光信号继电器
64	UXJ	黄色信号继电器
65	WJ	询问继电器
66	WL	询问电铃
67	X	信号机
68	XA	信号按钮
69	XJ	信号继电器
70	XT	信号机停车线

续表 C

序 号	字符代号	设 备 名 称
71	XY	预告信号机
72	ZA	终端按钮
73	ZDA	总定位按钮
74	ZDJ	总定位继电器
75	ZFA	总反位按钮
76	ZFJ	总反位继电器
77	ZJ	终端继电器
78	ZQJ	总取消继电器
79	ZRJ	总人工解锁继电器

注：设备的序号表示方法为：mE_n，其中 m 和 n 是设备序号，m、n 两者可任选一种，E 是表 C 中的设备字符代号。例如 3X 和 X_3 都可表示 3 号信号机。

本规范用词说明

1 为便于在执行本规范条文时区别对待,对要求严格程度不同的用词说明如下:
　　1)表示很严格,非这样做不可的:
　　　正面词采用"必须",反面词采用"严禁";
　　2)表示严格,在正常情况下均应这样做的:
　　　正面词采用"应",反面词采用"不应"或"不得";
　　3)表示允许稍有选择,在条件许可时首先应这样做的:
　　　正面词采用"宜",反面词采用"不宜";
　　4)表示有选择,在一定条件下可以这样做的,采用"可"。
2 条文中指明应按其他有关标准执行的写法为:"应符合……的规定"或"应按……执行"。

中华人民共和国国家标准

煤矿井下机车车辆运输信号设计规范

GB 50388 - 2016

条 文 说 明

修 订 说 明

《煤矿井下机车车辆运输信号设计规范》GB 50388—2016，经住房城乡建设部 2016 年 8 月 18 日以第 1257 号公告批准发布。

本规范是在《煤矿井下机车运输信号设计规范》GB 50388—2006 的基础上修订而成，上一版的主编单位是中煤国际工程集团沈阳设计研究院，参编单位是中煤国际工程集团北京华宇工程有限公司、中煤国际工程集团南京设计研究院、合肥工大高科信息技术有限责任公司，主要起草人员是邴国强、沈涓、王艿、刘炽、刘辅亮、商永泰、傅瑜群、暴枫、魏臻。

本规范修订过程中，编制组进行了认真深入的调查研究，总结了我国煤矿井下轨道机车、单轨吊车、无轨胶轮车运输的实践经验，同时参考了国外煤矿井下运输方面的先进技术和相关资料。

为便于广大设计、施工、建设、使用、科研、学校等单位有关人员在使用本规范时正确理解和执行条文规定，编制组按章、节、条顺序编制了本规范的条文说明，对条文规定的目的、依据以及执行中需注意的有关事项进行了说明，还着重对强制性条文的强制性理由作了解释。但是，本条文说明不具备与规范正文同等的法律效力，仅供使用者作为理解和把握规范规定的参考。

目 次

2 术　　语 ……………………………………………（ 87 ）
3 基本规定 ……………………………………………（ 88 ）
4 运输信号系统分类与设计原则 ……………………（ 89 ）
　4.1 运输信号系统分类 ……………………………（ 89 ）
　4.2 设计原则 ………………………………………（ 89 ）
5 区段、进路与联锁设计 ……………………………（ 91 ）
　5.1 区段设计 ………………………………………（ 91 ）
　5.2 进路设计 ………………………………………（ 92 ）
　5.3 联锁设计 ………………………………………（ 93 ）
6 信号机 ………………………………………………（ 95 ）
7 道岔与转辙装置 ……………………………………（ 97 ）
8 车位传感器与无线收发信装置 ……………………（ 98 ）
9 联锁设备与测控分站 ………………………………（101）
10 显示装置与控制台 ………………………………（102）
11 电源及线缆 ………………………………………（103）
12 调度中心站 ………………………………………（104）
附录 A 运输信号平面布置图与联锁关系表 ………（105）

2 术　　语

2.0.11 错车区允许进入多台无轨胶轮车。在错车区入口处未设停车线和信号机时，司机可以依据现场情况自行安全驶入，需要时也可以在错车区的入口处增设停车线或信号机，控制并引导司机驶入。

2.0.14 敌对进路的术语同时适用于轨道运输和无轨胶轮车运输，但轨道运输和无轨胶轮车运输中对敌对进路有不同具体规定，详见本规范第5.2.4条。

3 基本规定

3.0.1 本条是运输信号设计应遵循的基本原则。

3.0.4 运输信号系统设计应考虑与相关工艺及电气等环节相配合的问题，有利于保证安全、提高运输效率、提升自动化及管理水平。

3.0.5 国家现行标准《铁路信号设计规范》TB 10007－2006 第1.0.11条规定："涉及行车安全的铁路信号系统及电路设计，必须满足故障导向安全的要求"。信号设备故障导向安全是设计电路的基本原则。故障后不允许出现进路错误解锁、道岔错误转换或错误表示、信号错误开放或升级显示等问题。

根据铁道行业标准《铁路信号故障－安全原则》TB/T 2615－1994 第3.3.7条，设备发生故障导向安全时，应具有下列任何一种安全状态：

　　a. 暂停运行或部分暂停运行；

　　b. 降级使用；

　　c. 故障报警（声、光报警）；

　　d. 给出误操作表示。

故障导向安全原则直接关系到运输信号系统对机车车辆、人员的安全保障，运输信号系统必须工作可靠，并符合故障导向安全原则。本条为强制性条文，必须严格执行。

3.0.6 本条是混合运输信号系统设计的原则性规定。因混合运输信号系统难度较大，尚无成熟的设计经验，所以本规范未作详细规定。设计时可优先考虑其中规模较大、联锁关系较复杂的运输信号系统的设计方案。在线路和设备条件允许时，尽量对不同运输信号系统的进路、区段、信号机位置及信号显示规则进行统一规划。

4 运输信号系统分类与设计原则

4.1 运输信号系统分类

4.1.2 在《煤矿井下机车运输信号设计规范》GB 50388—2006 中,运输信号系统按功能和使用范围划分为 5 类。本次修订改为 3 类,原因为:GB 50388—2006 中的集控系统和监控系统在技术上接近,只是系统范围有区别,因此不再区分;司控道岔装置仅在轨道运输系统中采用,由司机通过遥控方式在现场直接控制电控道岔扳动位置,道岔位置通过现场表示器显示,不设进路信号机,没有信号联锁关系,不能称之为信号系统,可作为简易信号装置。

4.2 设计原则

4.2.1 监控系统控制范围较大,一般包括井底车场、运输大巷、分岔点以及采区装卸载站,它可以监控一个到几个水平的机车车辆运输系统,其功能很完善,除有效地调度指挥控制范围内运输系统外,还能具有机车车辆运输生产管理功能。

连续运行范围是指具有连通运输线路及关联运输作业的工作区域。对于运输线路不连通、运输作业不关联的非连续运行区域,应分别根据情况考虑设置监控系统或局控系统等。

现行国家标准《煤炭工业矿井设计规范》GB 50215—2015 第 13.6.8 条规定"采用轨道机车运输方式的矿井井底车场和运输大巷设计,应符合现行国家标准《煤矿井下机车运输信号设计规范》GB 50388 的规定"。第 13.6.9 条规定"采用无轨胶轮车运输方式的矿井井底车场和运输大巷,同一水平车辆工作台数为 5 台及以上时,应设置井下无轨胶轮车运输信号监控系统。同一巷道有对向行驶的车辆,且巷道宽度不能满足错车需求时,应设置具有联锁闭塞功能的无轨胶轮车运输信号监控系统"。

现行国家标准《煤矿井下辅助运输设计规范》GB 50533—2009 第 14.1.3 条规定"同一水平的无轨运输车辆达到 5 台及以上时,应设置无轨运输车辆信号监控系统"。

本规范与上述规范原则上是一致的,内容上则更为详细、明确。

4.2.4 轨道运输信号系统在设计前应首先掌握矿井近期和中期产量及线路的变化情况,特别是线路的变化,将直接影响到信号机、道岔与转辙装置、车位传感器的布置和显示装置的变化,如果采用继电器控制的系统,可能会使整个设计发生重大修改甚至需要重新设计。所以在做设计时,应将控制范围内的信号机、道岔与转辙装置、车位传感器的布置方案和联锁关系表,经与建设单位的调度、运输、采矿、机电、安全等有关部门共同商议确认后,方可开展下一步的工作。

5 区段、进路与联锁设计

5.1 区段设计

5.1.5 本条是无轨胶轮车运输信号系统区段设置的规定。

1 大部分交叉路口一般设为错车区段,但有些情况下交叉路口也可设为行车区段。

5.1.6 区段内的机车车辆全部出清,是指既要检查本区段是空闲状态,还要检查行车路线的下一个区段有该机车车辆完全进入。对于渡线道岔两侧的区段,在渡线中不设置计轴器、轨道电路绝缘节等车位传感器的情况下,前一个区段与后一个区段合并进行检查。

5.1.7 人工封锁是指在监控、局控系统中,通过软件手段将区段人工设置为占用状态,从而禁止其他机车车辆进入该区段的操作。

对于进路中存在多个区段的情况,人工解封时除了确认本区段内机车车辆出清外,还要防止一些危险情况。例如图1中,道岔区段DQ因故障被人工封锁后进行维修,相邻区段Q已有车组A进入,维修后人工解封时,车组A可能继续按照原进路进入DQ,此时DQ解封后车组B共用DQ的前方进路建立,与车组A的原进路为敌对进路,从而使道岔扳到反位,可能导致车组A与车组B相撞。进路中只有一个区段时,则上述情况不会发生。

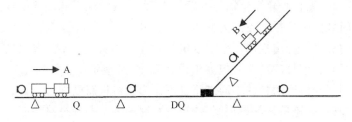

图1 人工解封区段危险情况示意图

5.2 进路设计

5.2.1 车场与线路通过能力主要取决于进路划分与信号机布置。进路划分过少,则锁闭时间长,通过能力低;进路划分过多,则锁闭时间短,通过能力提高,但使用设备多,投资增大。考虑到井下生产的不均衡以及其他特殊情况,确定车场与线路的通过能力为平均运量的1.7倍~2.0倍,并应满足实际高峰运量的需要。

5.2.3 本条对进路最短距离作出规定。

1 每条进路的长度至少应满足一组最长机车车辆安全运行和停车的需要;否则,进路划分太短,容易造成一组较长机车车辆同时占用多条较短的进路,增加联锁关系复杂性,增加系统故障率,并不利于提高系统通过能力。

2 进路信号开放后,机车车辆行驶到信号机近处时,如果信号机出现故障使信号降级为关闭状态,此时信号机后方进路中的道岔皆处于锁闭状态,所以即使机车车辆制动后进入故障信号机后方,只要进路的长度大于机车车辆的制动距离,就不会造成安全问题。

5.2.4 本条对敌对进路作出规定。

1 轨道运输信号系统中,某些情况下存在同一架信号机用于防护不同进路,如前进和后退,虽然同时建立可能并不直接影响安全,但会造成信号指示不明确。设计中需要规定这两种进路不允许同时建立,也作为敌对进路处理。

2 无轨胶轮车运输信号系统中,大多数情况下同一架信号机不同灯位所防护的不同方向进路不需作为敌对进路,多方向指示的信号机可能出现同一架信号机不同灯位所防护的不同方向进路同时开放信号的情况。但如果设计规定,某些情况下同一架信号机不同灯位所防护的不同进路也可作为敌对进路处理。

5.2.5 局控系统不设控制台时,应有现场人工办理进路功能。

5.2.6 本条对进路锁闭与解锁作出规定。

3 制订本款的目的在于,在保证安全的前提下,既节省投资又能更大限度提高线路的通过能力。在一个系统中,根据不同进路的区段组成与运输需要,两种解锁方式可以并存,但每条进路一般只选择一种解锁方式。

5.3 联锁设计

5.3.5 无轨胶轮车运输信号系统中,大型车辆是指车体较宽、较长的无轨胶轮车。大型车辆主要用于采煤工作面搬家时,搬运液压支架等大型装备,其他运输大多数采用小型车辆。

在通过一些大型车辆时,针对小型车辆设计的错车区可能无法错车,交叉路口可能需要作为行车区段处理。小型车辆的双车道,对于大型车辆只能作为单车道。因此,大型车辆和小型车量的联锁关系表不完全一致,应分别编制进路、信号显示和联锁内容。

5.3.6 本条对信号显示作出规定。

1 轨道运输信号系统中,大多数情况下进路中含有道岔,存在道岔联锁条件,并且车组比较长,惯性大,制动距离长,为保证行车安全,一般都采用信号常闭模式。但在某些线路中,既没有顺向和对向的敌对进路,也没有道岔的情况下,不会有其他车辆误入本进路而造成危险,这种情况下可以采用信号常开模式。

5.3.7 锁闭敌对进路是指使敌对进路不能建立,信号不能开放。另外,所指道岔为纳入运输信号系统中控制范围内的道岔,不包括手动道岔、弹簧道岔等。

5.3.8 本条对信号关闭作出规定。

1 该款针对的是正常牵引作业时的情况,机车部分进入信号机后方时,就应及时关闭信号。对于推送作业,可参见本条第3款的规定。

5.3.9 本条对信号显示模式转换作出规定。

2 在交叉路口使用循环模式时,为提高循环模式的效率,进路解锁可采用分段解锁方式。

5.3.10 轨道运输信号系统中,进路建立是指进路经人工或自动办理后,确认已满足进路未被锁闭、进路中所有区段空闲(存车线除外)、道岔位置正确等联锁条件的状态。无轨胶轮车运输信号系统中,进路建立是指进路经人工或自动办理后,确认已满足进路未被锁闭、进路中所有行车区段内对向车辆出清、行车区段内同向车辆数和错车区段内车辆总数未达到设计允许的组数等联锁条件的状态。

运输信号是保障机车车辆有序、安全行驶的最重要技术手段,直接关系到行车安全。在轨道运输信号系统的所有模式下,以及无轨胶轮车运输信号系统的常闭模式和循环模式下,敌对进路严禁同时建立、敌对信号严禁同时开放是保障安全的最基本、最重要的联锁条件,本条作为强制性条文必须严格执行。

5.3.11 区间闭塞允许划分多个闭塞区段。

5.3.13 信号检测包括车位传感器、道岔与转辙装置、信号机、无线收发信装置等各类设备的信号及故障状态的检测,信号控制包括信号机开放/关闭、道岔与转辙装置操作等各类执行装置的信号输出控制。

6 信 号 机

6.0.3 本条是对信号机灯光显示的规定。

1 关闭信号为最高级别的安全侧信号,必须统一规范为红色,否则易引发司机因错误识别而导致事故。红色闪光可作为冒进报警信号,严禁用红色闪光作为开放信号。本条为强制性条文,必须严格执行。

2 弯道、机车调头、推送及无轨胶轮车运输的大型车辆等需要谨慎行使的进路,尽量采用黄色或黄色闪光作为开放信号。

3 注意信号中包括故障报警信号、系统停用信号等。

6.0.5 因车场等处的发车线一般距离比较短,在保证行车安全前提下,车场等处的发车信号机,可不受显示距离200m的限制。

6.0.7 本条对信号机的安装位置作出规定。

3 对于无轨胶轮车运输信号监控系统,交叉路口作为行车区段时,信号机设置可参见图2。入口处信号机与路口的距离 R 不宜小于2m。

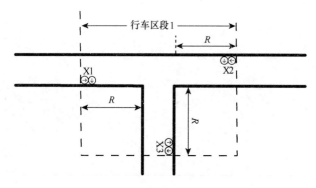

图2 交叉路口作为行车区段的信号机设置

4 对于无轨胶轮车运输信号监控系统,交叉路口作为错车区段时,信号机设置可参见图3,此时X3~X5三个出口处信号机防护的不是错车区段,而是防护与错车区段相邻的三个行车区段。出口处信号机与路口的距离C不宜小于1m。

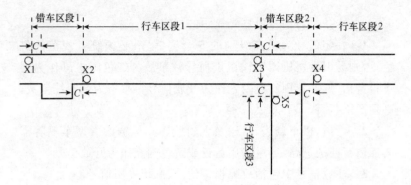

图3 交叉路口作为错车区段的信号机设置

7 道岔与转辙装置

7.0.1 在保证行车安全、满足通过能力要求并兼顾投资条件的情况下，合理选择道岔控制方式，布置转辙装置。

7.0.3 道岔闭锁条件，是为防止误扳动道岔而引起机车车辆掉道事故所采取的技术手段。

7.0.4 本条为强制性条文，必须严格执行。转辙装置的表示部分通过表示杆和接点组，表示出道岔位置和密贴状态，以便道岔与其他信号设备建立联锁关系。

转辙装置的表示信息是影响运输信号联锁结果的重要信息，直接关系行车安全。转辙装置的表示信息可以是机械的或电路的，但都需要能够准确反映道岔的位置与密贴状态。目前实际应用中电控道岔能够提供表示信息，弹簧道岔和手动道岔一般不能提供表示信息。

8 车位传感器与无线收发信装置

8.0.2 车位传感器的设置位置和数量,应根据其工作原理及在联锁关系中所起作用合理确定。

8.0.4 本条对询问传感器的位置作出了规定。

2 根据《煤矿安全规程》的相关规定,机车车辆制动距离不得超过 40m,考虑办理进路至信号开放所需要的时间及司机对信号的反应动作时间,将询问传感器至相应信号机或停车线的距离设为不小于 80m。

3 根据本规范第 5.2.6 条第 7 款的规定,机车车辆在经过询问传感器之后,将进入信号机或停车线前方区段,人工解锁需要提前和司机取得联系。如果因为在进入信号机或停车线前方区段之前进行人工解锁导致信号关闭,司机将有大约 80m 的制动距离。另外,常开模式下机车车辆在经过询问传感器之后,就将可能与敌对进路的机车车辆竞争谁先锁闭对方进路,如果被敌对进路的机车车辆先锁闭本进路而导致信号关闭,司机也将因为询问传感器相距信号机或停车线数十米而有足够的制动距离。

8.0.8 本条对轨道运输信号系统的车位传感器作出了规定。

1 区段占用信息对行车安全至关重要,区段占用传感器是用于检测机车车辆占用信息的车位传感器。轨道运输系统因车组较长、惯性大、制动距离长,对行车安全要求高,需要采用占用信息检测精度较高的车位传感器。此外,轨道运输系统因有固定的运行轨道,也便于安装能够准确检测机车车辆占用信息的装置。目前实际应用较多的车位传感器是计轴器,对车轮的感应距离一般小于 0.1m。为防止误判,通常在检测到两组车轮信息后才确认接收到机车车辆的占用信息,而井下机车车辆两组相邻车轮的间距一般小于5m,考虑在井下最大车速4m/s的条件下,能够满足检测时间不少于1s的需要,所以将车位检测误差设为不大于5m。5m的检测误差包含了正误差和负误差。

区段占用信息的检测误差是指在不考虑信息传输所用时间的情况下,区段占用传感器检测到机车车辆位置时,机车车辆实际位置和区段占用传感器安装位置之间的距离。检测误差可能是正误差或者负误差,图4中区段占用信息的检测误差以"S"表示,(a)为正误差示意图,(b)为负误差示意图。

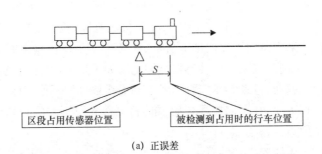

(a) 正误差

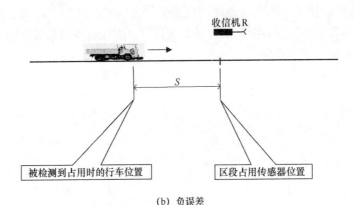

(b) 负误差

图4 区段占用检测误差示意图

8.0.9 本条对无轨胶轮车运输信号系统的车位传感器作出规定。

1 无轨胶轮车运输系统中没有固定的轨道和道岔,车辆长度短,行车速度较快(最快速度可达到15m/s)。目前大多数采用读卡器和识别卡作为检测区段占用的车位传感器,读卡器对识别卡的检测半径一般设为10m～15m。若检测半径太大,会超出较短区段的长度,使相邻区段的占用情况不能准确判断;若检测半径太小,可能造成车辆通过时来不及检测而丢失车辆占用信息。为避免上述情况发生,并考虑在最大车速条件下能够满足检测时间不少于1s的需要,将区段占用信息的检测误差设为不大于15m,包含了正误差和负误差。对于采用全向或双向天线的读卡器,检测半径为15m时,相当于有大约30m的检测范围,检测时间可达到2s。对于采用单向天线的读卡器,也可以有大约1s的检测时间。

　　2 不同区段的车位传感器检测范围如果重叠,易造成进路提前解锁等问题,危及行车安全。考虑到无线信号的不稳定性,设计时可根据需要,在不同区段传感器的检测覆盖范围之间预留适当的安全距离。

8.0.11 无线收发信装置可识别进入系统的机车车辆的车号与车类,接收机车车辆进入系统的请求信号、发车请求信号,以及机车车辆发送的前行、左行、右行等请求信号。无线收发信装置可用于提示办理相关进路。

9 联锁设备与测控分站

9.0.1 采用CPU作为执行计算任务器件的联锁设备,如PLC、嵌入式系统等,均属于计算机联锁设备。

9.0.7 计算机设备升级换代周期短,并存在防爆要求、环境适应性等方面的问题,不宜放在井下长期使用。

9.0.10 测控分站之间以及测控分站与联锁设备之间需要具备高可靠的、稳定的信息传输通道,无线传输方式在这些方面的技术尚不成熟,所以应优先选择有线传输方式。

10 显示装置与控制台

10.0.4 随着计算机等智能化设备在煤矿的应用及推广,作为运输信号系统的主要设备,显示装置及控制台的技术水平也应相应提高。在采用计算机联锁设备的系统中,控制台按钮已经采用软件操作界面实现。

10.0.6 发生道岔四开、挤岔、冒进信号等情况,属于较为严重的安全事故,显示装置或控制台应设置声光报警信号,以警示调度管理人员及时处理。本条为强制性条文,必须严格执行。

11 电源及线缆

11.0.1 对于井下调度站和主要设备硐室的供电，一路专用电源应引自井下变电所配电系统的弱电专用回路，不能与照明电源等共用。对于地面调度室的供电，一路专用电源应引自建筑物配电系统的弱电专用回路，采用专用供电电缆。

11.0.3 运输信号系统设备的供电电源不应与井下照明线路共用同一回路。因为井下照明回路相对停电率较高，不能保证运输信号系统供电的可靠性。

11.0.5 地面至井下的主干传输线缆宜设置两条专用通道，这两条专用通道可以是两根单独的电缆或者光缆，也可以是同一根光缆中的不同芯线构成的传输通道。

11.0.8 采用屏蔽电缆、双绞电缆等可以提高电缆的抗干扰性能。

12 调度中心站

12.0.1 运输信号系统调度中心站设于地面时,地面机房设计应符合现行国家标准《煤炭矿井安全生产智能监控系统设计规范》GB 51024 和《电子信息系统机房设计规范》GB 50174 的规定。

12.0.10 井下调度站和设备硐室的设计应符合现行国家标准《煤矿井底车场硐室设计规范》GB 50416 的规定。

附录 A 运输信号平面布置图与联锁关系表

A.0.2 表 A.0.2 的注 8 中给出了双动道岔、防护道岔、带动道岔的表示方法。双动道岔中至少有一组道岔处于进路之中。防护道岔是为防止侧面冲突，将不在进路上的道岔防护至规定的位置并予以锁闭，联锁条件中需检查防护道岔是否处于规定位置，防护道岔不在规定位置时，进路不能建立。带动道岔是将某些不在进路上的道岔带动至规定的位置并对其进行锁闭，联锁条件中不需检查带动道岔的位置，即使带动道岔不在规定位置，进路也可建立。

A.0.4 图 A.0.4 的无轨胶轮车运输信号平面布置图中区间较长时，可增设专用询问车位传感器。

A.0.5 表 A.0.5 中考虑了小型车辆与大型车辆之间的敌对进路。井下大型车辆主要用于采煤工作面搬家时，搬运液压支架等大型装备，一个采煤工作面一般一年约需搬家 1 次～2 次，每次约需 15d～25d。其他运输大多数采用小型车辆。而采煤工作面搬家时，可能存在小型车辆和大型车辆同时运行的情况。所以胶轮车运输信号系统的联锁设计应考虑小型车辆与大型车辆之间的敌对进路。

此外，在进行表 A.0.5 的设计时，因小型车辆进路划分较细、应用较多，设计时一般需先进行小型车辆的联锁设计，再进行大型车辆的联锁设计。

大型车辆车体较长、较宽，错车、调车需要更大空间，所以大型车辆的错车区较少。考虑大型车辆使用时间较短，运行区域较为集中，为保证大型车辆运行的安全，并简化联锁设计，表 A.0.5 中将大型车辆错车区段之间的路径设为 1 条基本进路，按一次办理、一次锁闭、分段解锁设计。大型车辆进路统一采用黄色信号作为开放信号,一条进路中有多台信号机时,按一次开放信号、分段转换设计。